ARGENTINA

TURISTICA

General Don José de San Martin, el héroe máximo de la Argentina, Libertador de su pais, atravesó Los Andes para continuar la gesta emancipadora por otras naciones americanas.

Le Général José San Martin, le plus grand héros de l'Argentine. Libérateur de son pays, il traversa les Andes pour poursuivre le geste d'émancipation d'autres nations américaines.

General José San Martin, the greatest national hero of Argentina. He liberated his country, and then crossed the Andes to make the first moves in liberating other Latin America countries.

General Don José de San Martin, maior heroi da Argentina. Libertador do país, atravessou os Andes para continuar o gesto emancipador atravès outras nações americanas.

El pie del monumento a San Martin en Mendoza, relata seis capitulos fundamentales del Ejèrcito Libertador.

Le socle du monument à San Martin, à Mendoza, relate six chapîtres essentiels de l'armée de libération.

On the base of the statue raised to the memory of San Martin at Mendoza, are inscribed the six main chapters in the history of the Liberation Army.

A base do monumento a San Martin em Mendoza, relata seis capítulos fundamentais do exército libertador.

HISTORIA

Es ya un lugar común decir que los países latinoamericanos tienen "una historia joven". Esta afirmación resulta bastante discutible con relación a los países de tradición indígena prehispánica, pero es válida para el caso de la Argentina.

La ciudad de Buenos Aires es fundada en 1536 por Pedro de Mendoza; destruido por los indios, es fundada de nuevo en 1580 por Juan de Garay; el Virreinato del Río de la Plata, con capital en la mencionada ciudad, se crea por Real Cédula de 1776; en 1816 es declarada la Independencia de las Provincias Unidas del Río de la Plata; la Constitución Nacional es de 1853; Buenos Aires se convierte en capital en 1880; en 1916 asume el primer gobierno elegido por sufragio universal de la nación entera. Con estas pocas fechas puede tenerse una·idea de la evolución de la Argentina en el tiempo.

La presencia del Río de la Plata es esencial en la historia del país: única salida directa al mar, era a la vez la única entrada directa desde Europa a las ricas llanuras de la pampa. El nombre mismo de "Río de la Plata" ilustra uno de los grandes motores de la expansión española hacia América: la búsqueda de materiales preciosos. Se creyó poder llegar por ese camino natural a las fabulosas ciudades ocultas donde se decía que los **incas** habían guardado su oro y su plata. No fue así, pero quedó el Río con su nombre. Muchos europeos continuaron utilizando vagamente la designación de "país del Plata" ya para Argentina y Uruguay, ya para Buenos Aires, ya para las provincias argentinas del litoral fluvial.

La fundación de ciudades en territorio argentino por los españoles, se produjo también por el noroeste, desde el Perú; por el oeste, desde Chile, y por el noreste, desde Asunción del Paraguay.

Por su carácter de puerto sobre la salida al mar, Buenos Aires adquiere pronto gran preponderancia comercial, militar y política.

La corona de España ejercía el monopolio del comercio y estaba representada por un Virrey. Este período de dependencia directa se prolonga hasta comienzos del siglo XIX. Dos expediciones británicas fracasan sucesivamente en su intento de tomar Buenos Aires. Parece sin embargo, que esos brevísimos contactos bastaron para aumentar el descontento local contra la metrópoli española, especialmente en lo referente a libertad de comercio.

Sea como fuere, poco después, en 1810, se produce el levantamiento de los **patriotas**. El Virrey es reemplazado por una Primera Junta de Gobierno, integrada por españoles y criollos. La Independencia va a ser declarada formalmente seis años más tarde, en la ciudad de Tucumán, capital de la provincia del mismo nombre.

Durante la guerra de la Independencia se destacan las figuras de los generales José de San Martín, Manuel Belgrano y Martín de Güemes. Este organizó grupos de **gauchos** en la región noroeste, y colaboró de este modo con la campaña militar dirigida por San Martín. Belgrano, que se había recibido de abogado en España, condujo gran parte de la acción en el Interior, y creó la bandera nacional.

San Martín es el héroe argentino más importante, y el único militar verdaderamente profesional de la Independencia. El **Libertador** extendió su campaña a Chile y al Perú, cuyas independencias declaró en los años siguientes. Luego de un misterioso encuentro con el otro gran **Libertador** de América Latina, el venezolano Simón Bolívar, el general San Martín se retiró de la vida pública. Vivió muchos años en Francia, hasta su muerte en 1850. Nunca llegó a establecerse con exactitud lo conversado en aquella entrevista en Guayaquil (Ecuador).

El difícil período siguiente va a estar caracterizado por las luchas internas entre tendencias y entre **caudillos**. Este prototipo, frecuente en la vida histórica de las naciones latinoamericanas, tiene una antítesis en Bernardino Rivadavia y un ejemplo definido en Juan Manuel de Rosas.

Rivadavia desempeña una presidencia efímera, mucho antes de que el régimen presidencial se afirme en la Argentina. Formado en las ideas de filósofos y economistas europeos, es un caso clásico de gobernante ilustrado y progresista, con ideas modernas no siempre aplicables en el contexto de su tiempo. Debió luchar contra la resistencia tenaz de los **caudillos** del interior. Pasó sus últimos años en España.

Rosas gobernó de 1833 a 1852 sin interrupción. Su dictadura fue de tipo paternalista y de estilo popular. Consiguió hábilmente mantenerse en el poder pese a las presiones de los gobernantes-**caudillos** y castigó sin miramientos toda forma de oposición. Durante su gobierno se produjo el bloqueo francés y luego el anglo-francés al puerto de Buenos Aires, ambos finalmente rechazados.

Justo José de Urquiza, gobernador de Entre Ríos, lo derrota en la batalla de Caseros, al frente de un ejército confederado. Rosas se exila en Inglaterra, donde muere muchos años más tarde.

Buenos Aires queda un tiempo fuera de la Confederación Argentina. En la década del 60 tiene lugar la terrible guerra de la Triple Alianza (Argentina, Brasil y Uruguay contra Paraguay). Se suceden los presidentes de la Nación en períodos complicados para la política interna, pero caracterizados por un notable progreso material y por los primeros contingentes inmigratorios. Bartolomé Mitre, Domingo F. Sarmiento, Nicolás Avellaneda, Julio A. Roca. Los tres primeros eran además distinguidos hombres de letras. El general Roca fue dos veces presidente, y condujo la última de las guerras contra los indios.

Progreso, civilización, modernización, higiene, salud pública, educación, eran los objetivos de aquellos gobernantes liberales y de formación europea. El centenario de la caída del Virreinato, en 1910, encuentra un país rico, ordenado políticamente, en completa paz interior. El creciente proletariado de las grandes ciudades, en general de origen europeo, comienza por entonces a crear dificultades al gobierno. Se sanciona la "ley de residencia", que permite expulsar del país al extranjero que tenga antecedentes terroristas, o ejerza actividades de ese tipo.

En 1916, asume la presidencia Hipólito Yrigoyen, candidato de los radicales. Es el resultado de las primeras elecciones por sufragio universal, según la ley debida al presidente Roque Sáenz Peña. Los dos períodos de Yrigoyen son considerados como el acceso de las clases medias al poder. En el Congreso Nacional actuaban parlamentarios socialistas además de los representantes de partidos tradicionales. Es una época de grandes cambios y nuevas inmigraciones.

Las presidencias que se suceden a partir de 1930 continuaron la política de inmigración y abundancia basada en la explotación agrícola y ganadera. Los dos grandes partidos tradicionales, el Conservador y el Radical, son los protagonistas de la vida interna argentina.

Un nuevo período se inicia y desarrolla en la década del 40, marcado por la influencia del coronel, luego general y finalmente teniente general Juan Domingo Perón. Sus dos presidencias se extienden de 1945 a 1955, y se caracterizan por una concepción personalista y populista del gobierno, y la sanción de leyes de contenido social. Sus simpatizantes provenían de diversos orígenes ideológicos, especialmente de orientación nacionalista. Los sectores liberales de derecha y centro y los partidos de izquierda constituían la oposición. En 1955 Perón es derrocado por la Revolución Libertadora, movimiento militar con apoyo civil. Tres años antes había muerto su mujer, María Eva Duarte (Eva Perón o Evita), de gran arraigo en las masas argentinas por su temperamento innato de mujer-**caudillo**.

Las elecciones de 1973 vuelven a llevar el peronismo al gobierno, después de un exilio de dieciocho años de su jefe. Perón pronuncia un último discurso multitudinario en junio de 1974, y muere menos de un mes más tarde. Entre la caída y el regreso del peronismo se sitúan otras gestiones gubernamentales. La Revolución Libertadora llama a elecciones por decisión del presidente teniente general Aramburu. Triunfa un movimiento de origen radical que dirige Arturo Frondizi. Este gobierna de 1958 y 1961, y da gran desarrollo a la industria pesada y a la explotación del petróleo. El sector tradicional del radicalismo gana las siguientes elecciones, y es presidente de la **República** Arturo Illia hasta 1966, en que se produce el levantamiento encabezado por el teniente general Onganía, quien es sucesivamente remplazado por sus pares Roberto M. Levingston y Alejandro Lanusse.

A su muerte en 1974, Perón es sucedido por la vicepresidente, su esposa, María Estela Martínez (Isabel Perón), quien es a su vez derrocada el 24 de marzo de 1976 por las Fuerzas Armadas. Gobiernan actualmente la Argentina los integrantes de una Junta Militar, presididos por el Teniente General Jorge Rafael Videla.

HISTOIRE

C'est un lieu commun de dire que les pays de l'Amérique Latine ont une "histoire jeune". Cette affirmation est assez discutable quand il s'agit des pays qui ont une tradition indigène préhispanique, mais elle est valable dans le cas de l'Argentine.

La ville de Buenos Aires fut fondée en 1536 par Pedro de Mendoza; détruite par les indiens et abandonnée par les Espagnols, elle fut fondée de nouveau en 1580 par Juan de Garay; la vice-royauté du Rio de la Plata, avec sa capitale dans la ville précitée, fut créée par Real Cédula en 1776.

En 1816, l'indépendance des provinces du Rio de la Plata est proclamée. La constitution nationale est de 1853. Buenos Aires devient capitale en 1880. En 1916, c'est le premier gouvernement élu au suffrage universel. Avec ces quelques dates, on peut se faire une idée de l'évolution de l'Argentine dans le temps.

La présence du Rio de la Plata est essentielle dans l'histoire du pays : seule issue directe à la mer, elle était à la fois la seule voie d'accès directe, depuis l'Europe, aux riches plaines de la Pampa. Le nom même de "Rio de la Plata", illustre un des grands moteurs de l'expansion espagnole vers l'Amérique : la recherche de matières précieuses. Car, on croyait pouvoir atteindre par cette voie naturelle aux fabuleuses cités secrètes où l'on disait que les Incas avaient entreposé leur or et leur argent. Il n'en fut pas ainsi, mais le fleuve garda ce nom. Beaucoup d'Européens ont continué à employer le terme "Pays du Plata", aussi bien pour désigner l'Argentine que l'Uruguay, Buenos Aires que les provinces argentines du littoral du fleuve.

Les espagnols établirent des villes dans le territoire argentin en partant du Nord-Ouest, c'est-à-dire du Pérou, de l'Ouest, depuis le Chili et, du Nord-Est depuis Assomption du Paraguay.

Par son port, Buenos Aires, acquiert très vite une grande prépondérance commerciale, militaire et politique.

La couronne espagnole, représentée par un vice-roi, exerçait le monopole du commerce. Cette période de dépendance directe se prolonge jusqu'au début du XIXème siècle. Deux expéditions britanniques échouent successivement dans leur tentative de s'emparer de Buenos Aires. Il semble, cependant, que ces deux prises de contact suffirent pour augmenter le mécontentement local contre la métropole espagnole, spécialement en ce qui concerne la liberté de commerce.

Quoiqu'il en soit, peu après, en 1810, se produit la révolte des "patriotas". Le vice-roi est remplacé par une première "Junta de Gobierno" dont font partie à la fois espagnols et "criollos".

L'indépendance sera proclamée six ans plus tard, dans la ville de Tucuman, capitale de la province du même nom.

Pendant la guerre de l'indépendance, se détachent les figures des généraux : José de San Martin, Manuel Belgrano et Martin de Güemes. Ce dernier organise des groupes de "Gauchos" dans la région du Nord-Ouest et participe de cette manière à la campagne militaire dirigée par San Martin.

Belgrano, qui avait été formé comme avocat en Espagne, dirige une grande partie de l'action intérieure et crée le drapeau national.

San Martin est le héros argentin le plus célèbre et le seul militaire de carrière qui soit à l'origine de l'indépendance nationale.

Le Libertador a étendu son action au Chili et au Pérou, pays dont l'indépendance est venue plus tard.

Après une "mystérieuse" entrevue avec l'autre grand "Libertador" de l'Amérique Latine, le vénézuélien, Simon Bolivar, le général San Martin se retire de la vie publique.

Il vécut plusieurs années en France (Boulogne s/Mer) jusqu'à sa mort, en 1850. Il n'a jamais pu être établi avec exactitude ce qui s'était dit au cours de la conversation des deux "Libertadors" à Guayaquil (Equateur).

La difficile période qui s'en suivit va se caractériser par les luttes internes entre tendances et entre "caudillos". Ce prototype, fréquent dans la vie historique des nations latinoaméricaines, trouve son antithèse en Bernardino Rivadavia et un modèle bien défini en Juan Manuel de Rosas.

Rivadavia occupe une présidence éphémère, bien avant que le régime présidentiel se soit affirmé en Argentine. Formé aux idées des philosophes et des économistes européens, c'est un cas classique du gouvernement éclairé et progressiste, avec des idées modernes, qui par moments n'étaient pas applicables dans le contexte de son temps. Il dut lutter intensément contre la résistance tenace des "caudillos" et, il vécut ses dernières années en Espagne.

Rosas Goberno de 1833 à 1852 présida aux destinées du pays sans interruption. Sa dictature paternaliste fut du style populaire. Il réussit avec habileté à se maintenir au pouvoir malgré la pression des "gouverneurs-caudillos", et, châtia sans ménagement toute forme d'opposition.

Sous son gouvernement se produisirent le blocus français, puis le blocus franco-anglais du port de Buenos Aires tous deux finalement repoussés.

Après sa défaite à la bataille de Caseros, par Justo José de Urquiza, gouverneur d'Entre Rios, à la tête d'une armée confédérée, Rosas s'exila en Angleterre où il devait mourir quelques années plus tard.

Buenos Aires demeura un certain temps hors de la confédération argentine. Dans la décade des années 60, se place la terrible guerre de la Triple Alliance (Argentine, Brésil et Uruguay contre le Paraguay). Les présidents de la nation se succèdent dans une période de politique intérieure très compliquée, mais caractérisée par un notable progrès matériel et par l'arrivée des premiers contingents d'immigrants : Bartolomé Mitre, Domingo F. Sarmiento, Nicolas Avellaneda, Julio A. Roca. Les trois premiers étaient du reste des hommes de lettres distingués. Le général Roca fut à deux reprises président et mena la dernière guerre contre les indiens.

Progrès, civilisation, modernisation, hygiène, santé publique, éducation tels étaient les objectifs de ces gouvernements libéraux de formation européenne. Le centenaire de la chute de la Vice-Royauté, en 1910, voit un pays riche, politiquement en ordre, et en paix intérieure. Le prolétariat croissant dans les grandes villes, principalement d'origine européenne commence alors à créer des difficultés au gouvernement. Une "loi de résidence" est alors promulguée, qui permet d'expulser du pays l'étranger qui a des antécédents terroristes ou qui exerce des activités subversives.

En 1916, le candidat des radicaux, Hipolito Yrigoyen, occupe la présidence. C'est le résultat des premières élections au suffrage universel, en vertu de la loi promulguée par le président Roque Saenz Pena.

Les deux mandats du président Yrigoyen sont considérés comme correspondant à l'accession des classes moyennes au pouvoir. Au Congrès National il y avait des parlementaires socialistes à côté de représentants des partis traditionnels. C'est une époque de grands changements et de nouvelles immigrations.

Les présidences qui se sont succédées depuis 1930 ont poursuivi la politique d'immigration et d'abondance basée sur l'exploitation du bétail et l'agriculture. Les deux grands partis traditionnels, conservateur et radical, sont les protagonistes de la vie intérieure argentine.

Une nouvelle période, commence et se déroule dans les années 40, marquée par l'influence du Colonel puis Général et finalement Lieutenant-Général Juan Domingo Peron. Ses mandats couvrent les années 1945 à 1955, et sont caractérisés par une conception personnelle et populaire du gouvernement, et par l'établissement de lois à caractère social. Ses sympathisants venaient des divers horizons idéologiques, spécialement d'orientation nationaliste.

Les secteurs libéraux, de droite et du centre et des partis de gauche, fondèrent l'opposition. En 1955, "la révolution libératrice", mouvement militaire avec un appui civil renverse Peron. Sa femme, Maria Eva Duarte (Eva Peron ou Evita), était morte trois ans avant sa chute; elle était adorée du peuple argentin, par son tempérament inné de femme-caudillo.

Les élections de 1973, amenèrent le péronisme au gouvernement, après un exil de dix huit ans de son chef. Peron prononça son dernier discours en juin 1974 et mourut moins d'un mois plus tard. Entre la chute du péronisme et son retour, se succédèrent plusieurs gouvernements; la révolution libératrice désigna le lieutenant-général Aramburu.

C'est alors que triomphe un mouvement d'origine radicale dirigé par Arturo Frondizi. Au pouvoir de 1958 à 1961, il donna un profond développement à l'industrie lourde et à l'exploitation du pétrole.

Le secteur traditionnel du radicalisme gagna les élections suivantes et Arturo Illia assuma la présidence jusqu'à 1966, lorsqu'un soulèvement à sa tête avec le lieutenant-général Ongania, se produisit. Roberto M. Levington et Alejandro Lanusse lui succédèrent.

A sa mort, en 1974, Peron fut remplacé à la présidence du pays par la vice-présidente Maria Estela Martinez (Isabel Peron) qui fut à son tour renversée par les forces armées le 24 mars 1976.

Le gouvernement actuel de l'Argentine est assuré par une junte militaire, présidée par le lieutenant-général Jorge Rafael Videla.

HISTORY

It is a commonplace to say that the countries of Latin America are "young in history". This statement is open to discussion in the case of countries which have a pre-Spanish native tradition, but in the case of Argentina it is true enough.

The city of Buenos Aires was founded in 1536 by Pedro de Mendoza, destroyed by the Indians, and then abandoned by the Spanish; it was founded again later on in 1580 by Juan de Garay; the Vice-royalty of Rio de la Plata, with its capital in the aforementioned city, was established by Real Cédula in 1776.

In 1816, the Independence of the Province of Rio de la Plata was proclaimed. The national Constitution dates from 1853. Buenos Aires became the capital in 1880. In 1916, the first Government was elected by universal suffrage. These few dates will give some idea of the historical evolution of Argentina.

The existence of the Rio de la Plata is essential to the history of the country. As it provided the only access to the sea, it was also the only direct means of access from Europe to the rich plains of the Pampas. The very name "Rio de la Plata" gives a clue to one of the major driving forces behind Spanish expansion towards America - the search for precious metals. It was believed that, by this natural route, access could be had to the fabulous secret cities where the Incas were believed to have hidden their gold and silver. This was not so, but the river kept its name. Many Europeans went on using the term "Country of the Plate" to designate not only Argentina but also Uruguay, Buenos Aires and the Argentine provinces along the river.

The Spanish set up towns on Argentine territory, starting from the North-West (Peru), the West (Chile) and the North-East (Paraguay).

Buenos Aires very soon acquired commercial, military and political preponderance.

The Spanish Crown, represented by the Viceroy, exercised a commercial monopoly. The period of direct dependence continued until the beginning of the nineteenth century. Two British expeditions failed in subsequent attempts to take Buenos Aires. It would appear, however, that these two establishments of contact were enough to increase local resentment against the Spanish monopoly, particularly so far as freedom of trade was concerned.

However that may be, shortly afterwards, in 1810, the revolt of the "patriotas" took place. The Viceroy was replaced by a first "Junta de Gobierno" in which both Spanish and creoles participated.

Six years later, Independence was proclaimed in the town of Tucuman, capital of the Province of the same name.

During the War of Independence, a number of Generals emerged, such as José de San Martin, Manuel Belgrano and Martin de Güemes. The last-named organized groups of "Gauchos" in the North-Western region and thus participated in the military campaign led by San Martin.

Belgrano, who had been trained as a lawyer in Spain, played a major part in organizing the country and created the national flag.

San Martin is the outstanding hero of Argentina and was the only professional soldier of the Independence Movement.

The "Libertador" extended his activities to Chile and Peru, whose independence followed at a later date.

After a mysterious interview with the other great "Libertador" of Latin America, Simon Bolivar of Venezuela, General San Martin retired from public life.

He lived for several years in France until his death in 1850, but what was said during the conversation between the two liberators at Guayaquil, in Ecuador, has never been established with any certainty.

The difficult period which followed was to be characterized by internal struggles between political factions and other "Caudillos". This prototype, which occurs frequently in the history of Latin-American countries, had as its antithesis Bernadino Rivadivia and a well-defined example in Juan Manuel de Rosas.

Rivadivia occupied the ephemeral position of President well before the Presidential régime was established in Argentina. He had been brought up with the ideas of the European philosophers and economists, and his was a classical example of an enlightened, progressive government with modern ideas which were not always applicable in the context of his time. He had to carry on an unceasing fight against the tenacious resistance of the Caudillos. He spent the last years of his life in Spain.

Rosas ruled the country from 1833 to 1852 without interruption. His paternalist dictatorship was in the popular style. He skilfully succeeded in remaining in power in spite of pressure from the "Governor-caudillos", and severely punished opposition of any sort.

During his Presidency there occurred the French blockade, followed by the Anglo-French blockade, of the port of Buenos Aires. Both blockades were finally defeated.

After losing the battle of Caseros to Justo José de Urquiza, Governor of Entre Rios, who commanded a confederate army, Rosas fled to exile in England where he died a few years later.

For some time, Buenos Aires remained outside the Argentine Confederation. During the sixties there occurred the terrible war of the Triple Alliance (Argentina, Brazil and Uruguay) against Paraguay. Presidents succeeded one another in an extremely complicated period of domestic struggles which, however, was notable for the material progress made and for the arrival of the first groups of immigrants, who included Bartolomé Mitre, Domingo F. Sarmiento, Nicolas Avellaneda and Julio A. Roca. The first three, incidentally, were distinguished men of letters. The last, General Roca, was twice President and conducted the last war against the Indians.

The aims of the liberal governments formed on the European pattern were progress, civilization, modernization, public health and education. By the time the hundredth anniversary of the fall of the Viceroyalty came round in 1910, the country was wealthy, politically in order and enjoying domestic peace. But now the increasing proletarian population of the cities, most of whom were of European origin, began to make difficulties for the Government. A law of residence was then promulgated making it possible to deport foreigners with a terrorist past or carrying on terrorist activities.

In 1916 Hipolito Yrigoyen, the Radical candidate, became President. This was the result of the first elections by universal suffrage by virtue of the Law promulgated by President Roque Saenz Peña.

President Yrigoyen's two terms of office are considered as marking the accession to power of the middle classes. Socialist members of parliament sat in the same House as representatives of the traditional parties. It was a period of great changes and further immigration.

The various governments which have succeeded one another since 1930 have pursued the policy of immigration and abundance based on cattle-raising and agriculture. The two major traditional parties - Conservative and Radical - are the protagonists of Argentinian domestic life.

A new period began and unfolded itself during the forties, marked by the personality of Colonel (later General) Juan Domingo Peron. His terms of office covered the years 1945 to 1955; the chief characteristic was a personalized and populist conception of government and the enactment of social legislation. His supporters came from widely varying ideological camps, particularly those with a leaning towards nationalism.

The liberals and factions from the right, centre and left formed the Opposition. In 1935, Peron was overthrown by a military movement of liberation with civilian support. His wife, Maria Eva Duarte (Eva or Evita Peron) had died three years before his downfall; she was loved by the people and had an innate temperament of a female Caudillo.

The 1973 elections brought Peron back to a position of power after an exile of eighteen years. He made his last speech in June 1974 and died one month later. There had been other governments in the period between the fall of Peron and his return.

The movement of liberation elected Lieutenant-General Aramburu President.

This was the occasion for the triumph of a movement of radical origin directed by Arturo Frondizi. He was President from 1958 to 1961 and succeeded in developing heavy industry and increasing petroleum production.

The traditional radical party won the following elections, and Arturo Illia became President until 1966, when an uprising led by Lieutenant-General Ongania occurred. He was succeeded by Roberto M. Levington and Alejandro Lanussa.

When Peron died in 1974, he was replaced as President by the Vice-President, Maria Estela Martinez (Isabel Peron), who in turn was deposed by the armed forces on 24 March 1976.

The present Government of Argentina consists of a military junta presided over by Lieutenant-General Jorge Rafael Videla.

História

É lugar comum dizer que os paízes latinoamericanos têm "uma história jovem". Esta afirmação é bastante discutível para os países de tradição indígena préhispânica, porém é válida no caso da Argentina.

A cidade de Buenos Aires foi fundada em 1536 por Pedro de Mendoza; destruida pelos Indios e abandonada pelos Espanhois; foi fundada de novo em 1580 por Juan de Garay; o Vice Reino do Rio da Plata, com capital na mencionada cidade, foi criada por Cédula Real de 1776; em 1816 é declarada a Independência das Províncias Unidas do Rio da Plata; a Constituição Nacional é de 1833; Buenos Aires converte-se em capital em 1880; em 1916 assume o primeiro govêrno eleito por sufrágio universal da Nação inteira. Com estas poucas datas pode-se ter uma idéia da evolução da Argentina no tempo.

A presença do Rio da Plata é essencial na história do país; única saída directa para o mar, era ao mesmo tempo a única entrada directa da Europa às ricas planícies da Pampa. O nome mesmo de "Rio da Plata" ilustra um dos grandes motores da expansão espanhola até a América: a busca de matérias preciosas.

Acreditava-se poder chegar por êste caminho natural às fabulosas cidades ocultas de onde se dizia que os incas tinham guardado seu ouro e prata. Nao foi assim mas ficou o Rio com esse nome. Muitos europeus continuaram utilizando vagamente a designação de "país da Plata", fôsse para Argentina e Uruguai, fôsse para Buenos Aires ou para as províncias argentinas do litoral fluvial.

A fundação pelos espanhóis de cidades em território argentino, produziu-se também pelo noroeste, desde o Perú; pelo oeste desde o Chile, e pelo nordeste, desde Assunção do Paraguai.

Pelo seu carácter de porto com saída para o mar, Buenos Aires adquire logo grande preponderância comercial, militar e política.

A coroa da Espanha exercía o monopólio do comércio e estava representada por um Vice Rei. Êste período de dependência directa prolonga-se até começos do século XIX. Duas expedições britânicas fracassam sucessivamente no seu intento de tomar Buenos Aires. Parece, no entanto, que esses brevíssimos contactos bastaram para aumentar o descontentamento local contra a metrópole espanhola, especialmente no que se refere à liberdade de comércio.

Seja como for, pouco depois, em 1810, produz-se o levantamento dos patriotas. O Vice Rei é substiduido por uma Primeira Junta de Govêrno, constituida por espanhóis e crioulos. A Independência vai ser declarada fôrmalmente seis anos mais tarde, na cidade de Tucuma, capital da província do mesmo nome.

Durante a guerra pela Independência destacam-se as figuras dos generais José de San Martín, Manuel Belgrado e Martín de Güemes. Êste organizou grupos de gauchos na região noroeste, e colaborou deste modo com a campanha militar dirigida por San Martín. Belgrado, que se tinha tornado advogado em Espanha, conduziu grande parte da acção no Interior, e criou a bandeira nacional.

San Martín é o herói argentino mais importante, e o único militar verdadeiramente profissional da Independência. O Libertador estendeu sua campanha ao Chile e ao Perú, cujas independências foram declaradas por êle nos anos seguintes. Após misterioso encontro com outro grande Libertador da América Latina, o venezuelano Simão Bolívar, o general San Martín retirou-se da vida pública. Viveu muitos anos em França, até sua morte em 1850. Nunca se chegou a conhecer o conteudo exacto daquela.

O difícil período seguinte vai-se caracterizar pelas lutas internas entre tendências e entre caudilhos. Êste protótipo, frequente na vida histórica das nações latinoamericanas, tem uma antítesis em Bernardino Rivadavia e um exemplo definido em Juan Manuel de Rosas.

Rivadavia desempenha uma presidência efêmera, muito antes que o regime presidencial se afirme na Argentina. Formado às idéias dos filósofos e economistas europeus, é um exemplo clássico de governante ilustrado e progressista: com idéias modernas nem sempre aplicáveis ao contexto de seu tempo. Teve de lutar contra a resistência tenaz dos caudilhos do interior. Passou os seus últimos anos em Espanha.

Rosas governou de 1833 a 1852 sem interrupção. Sua ditadura foi de tipo paternalista e popular. Conseguiu hàbilmente manter-se no poder apesar das pressões dos governadores-caudilhos e castigou sem piedade qualquer oposição. Durante o seu governo produz-se o bloquéio francês e logo a seguir o anglo-francês ao porto de Buenos Aires, ambos foram finalmente repelidos.

Justo José de Urquiza, governador de Entre-Rios, derrota-o na batalha de Caseros, à frente de um exército confederado. Rosas exila-se para Inglaterra, onde morre muitos anos depois.

Buenos Aires fica algum tempo fora da Confederaçao argentina. Na década dos anos sessenta tem lugar a terrível guerra da Triple-Aliança (Argentina, Brasil e Uruguai contra o Paraguai). Os presidentes da Nação sucedem-se em períodos complicados para a política interna, mas caracterizados por um notável progresso material e pelos primeiros contingentes imigratórios. Bartolomeu Mitre, Domingo F. Sarmiento, Nicolás Avellaneda, Julio A. Roca. Os três primeiros foram também distintos homens de letras. O general Roca foi dùas vezes presidente e dirigiu a última das guerras contra os índios.

Progresso, civilização, modernização, higiene, saúde pública, educação eram os objectivos daqueles governantes liberais e de formação européia. O centenário da queda do Vice Reinado, em 1910, encontra um país rico, ordenado politicamente, em completa paz interior. O crescente proletariado das grandes cidades, em geral de origem européia, começa então a criar dificuldades ao Govêrno. É decretada a "lei da residência", que permite expulsar do país o estrangeiro que tiver antecedentes terroristas, ou exercer actividades deste tipo.

Em 1916, assume a presidência Hipólito Yrigoyen, candidato dos radicais. É o resultado das primeiras eleições ao sufrágio universal, segundo a lei criada pelo presidente Roque Sáenz Peña. Os dois períodos de Yrigoyen são considerados como o acesso das classes médias ao poder. No Congresso Nacional actuavam parlamentares socialistas além dos representantes de partidos tradicionais. É uma época de grandes mudanças e novas imigrações.

As presidências que se sucedem a partir de 1930 continuaram a política de imigração e abundância baseada na exploração agrícola e pecuária. Os dois grandes partidos tradicionais, o Conservador e o Radical, são os protagonistas da vida interna argentina.

Um novo período inicia-se e desenvolve-se na década de 40, marcado pela influência do coronel, depois general e finalmente tenente general Juan Domingo Perón. Suas duas presidências vão de 1945 a 1955, e caracterizam-se por uma concepção personalista e populista do govêrno e a sanção de leis de conteudó social. Seus simpatizantes provinham de diversas origens ideológicas, em especial de orientação nacionalista. Os sectores liberais da direita e centro e os partidos da esquerda constituiam a oposição. Em 1955, Perón é deposto pela Revolução Libertadora, movimento militar com apoio civil. Três anos antes tinha morrido sua mulher Maria Eva Duarte (Eva Peron ou Evita), era adorada pelas massas argentinas pelo seu temperamento inato de mulher-caudilho.

As eleições de 1973 trazem de novo o peronismo ao govêrno, depois de um exílio de dezoito anos de seu chefe. Peron pronuncia um último discuso perante a multidao em junho de 1974, e morre menos de um mês mais tarde. Entre a queda e o regresso do peronismo se situam outras gestoes governamentais. A Revolução Libertadora nomeia Tenente General Aramburu. Triunfa um movimento de origem radical que dirige Arturo Frondizi. Êste governa de 1958 a 1961, e dà grande desenvolvimento à indústria pesada e à exploração do petróleo. O sector tradicional do radicalismo ganha as eleições seguintes, e é presidente da República Arturo Illia até 1966, ano do levantamento encabeçado pelo tenente géneral Onganía, que é sucessivamente substituido por seus pares Roberto M. Levingston e Alejandro Lanusse.

A Vice-Presidente, sua esposa, Maria Estela Martinez (Isabel Perón), sucede a Perón depois da sua morte em 1974 ela é destituida em 24 de março de 1976 pelas Fôrças Armadas. Governam atualmente a Argentina os membros de uma Junta Militar, presididos pelo Tenente-General Jorge Rafael Videla.

Monumento al General San Martin al pie de la Cordillera de Los Andes.
Monument au Général San Martin, au pied de la Cordillère des Andes.
A monument to General San Martin at the foot of the Cordillera of the Andes.
Monumento ao General San Martin aos pés da Cordilheira dos Andes.

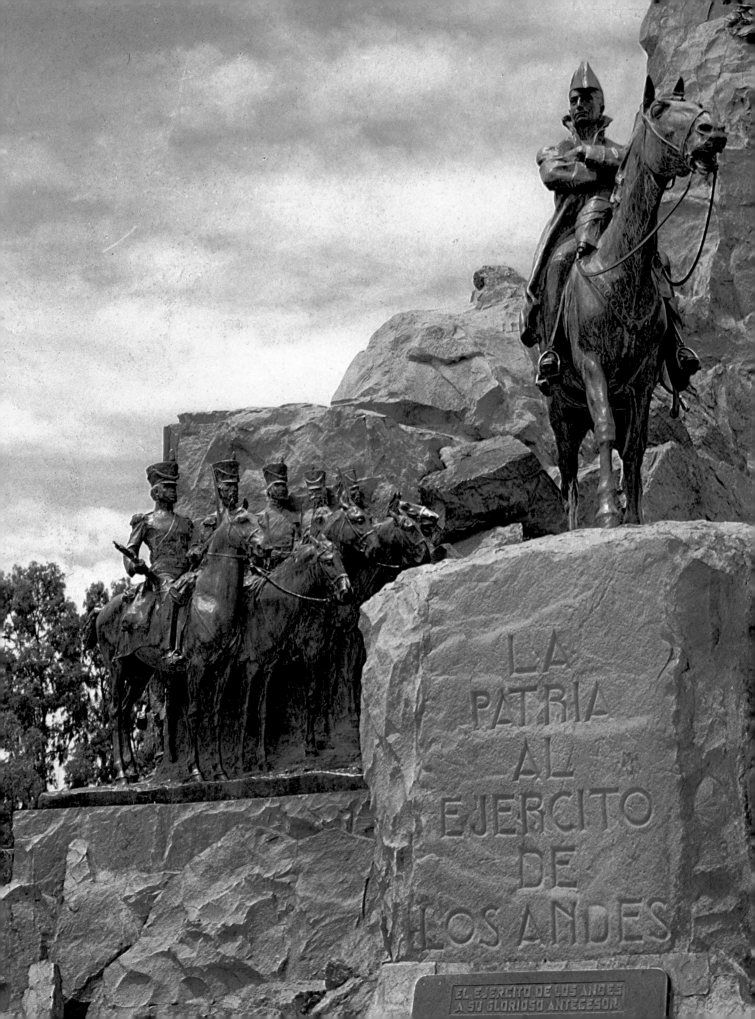

El Estadio de River Plate, en Buenos Aires a orillas del Rio de la Plata.
Le stade de River Plate, à Buenos Aires sur le bord du Rio de la Plata.
At Buenos Aires, on the banks of the Rio de la Plata, the River Plate Stadium.
Estádio de River Plate, em Buenos Aires à margem do Rio de la Plata.

Regata en el Rio de la Plata.
Régate sur le Rio de la Plata.
Regatta on the Rio de la Plata.
Regatas no Rio de la Plata.

GEOGRAFIA

La República Argentina ocupa junto con la de Chile la porción austral del inmenso triángulo que es América del Sur. El territorio argentino es casi totalmente continental (2.791.810 km²), e incluye un sector antártico (965.314 km²), y varios archipiélagos australes, intercontinentales con relación al continente sudamericano y al antártico (4.150 km²). La suma total es pues de 3.761.274 km²).

La hidrografía argentina presenta una pendiente atlántica muy desarrollada, una pendiente pacífica mínima, y varias cuencas sin desagüe. El sistema del Plata, perteneciente a la pendiente atlántica, está integrado por los ríos Paraná, Uruguay, Paraguay y Río de la Plata. Esta enorme cuenca tiene una superficie de 5.000.000 de km².

Su distribución primordialmente norte-sur hace que los climas, regímenes de lluvias, flora y fauna sean muy variadas. No hay un clima argentino, como no hay un paisaje argentino. En las provincias de Misiones, Chaco o Santiago del Estero, por ejemplo, la temperatura puede superar fácilmente los 40° centígrados en verano. En el sur, en el territorio nacional de Tierra del Fuego, llega en invierno a unos cuantos grados bajo cero.

Buenos Aires está a la misma latitud de la Ciudad del Cabo, en Sudáfrica. Rara vez se alcanzan los 40° (43° 3 en 1957). El máximo oscila entre 38 y 39°. En invierno el termómetro llega con frecuencia a 1° y 2° sobre cero.

Por razones económicas, históricas y culturales, la gran llanura que ocupa la zona central del país hasta la costa ha sido considerada en el mundo como un símbolo de la Argentina. Es la **pampa**, extensión gigantesca de terreno sin accidentes notables. Los viajeros europeos la comparaban inevitablemente con el mar.

Hacia el noroeste, la selva subtropical, en la frontera con el Brasil. Allí se encuentran las cataratas del Iguazú, atracción turística internacional e impresionante espectáculo.

El noroeste es un paisaje de montañas y elevadas mesetas, de valles encajonados entre altísimas paredes de piedra. En el aire seco se destacan los colores fuertes y contrastados de las laderas. La quebrada de Humahuaca es de gran belleza. En los oasis creados por los ríos, todavía existen pueblos diminutos, que no han variado gran cosa exteriormente desde el siglo XVII. En los valles, ciudades como Salta y San Salvador de Jujuy, que conservan iglesias y joyas de arte religioso del tiempo de la conquista española.

De nuevo la selva espesa en la provincia de Tucumán. Verdaderos desiertos y salinas en el centro geográfico del país.

El límite occidental está dado de norte a sur por la formidable cordillera de los Andes, cuya altura máxima, el Aconcagua, es de casi 7.000 metros. A las ricas llanuras de la provincia de Mendoza, al pie de los Andes, siguen hacia el sur la zona de los lagos y bosques, compartida con Chile. Es una de las bellezas turísticas de la Argentina. En la región se practican deportes de invierno, pesca, caza, navegación a vela, etc..

Desde los Andes hasta el océano Atlántico se extiende la Patagonia, serie de mesetas descendentes escalonadamente. Son tierras aún muy despobladas, por lo duro del clima y la escasez de agua potable.

En las provincias centrales de Córdoba y San Luis se encuentran las **sierras**, elevaciones de mediana altura, cubiertas de vegetación. En ese paisaje armonioso hay lagos naturales y artificiales, lagunas, ríos y arroyos, la mayoría de los cuales con buena pesca. Es un centro tradicional de turismo interno. Completan el cuadro las extensas playas del Atlántico, en la provincia de Buenos Aires. Llegan a tener más de doscientos metros de ancho, y en conjunto ocupan unos quinientos kilómetros de longitud. Mar del Plata es la ciudad más importante del litoral marítimo, pero los balnearios son numerosos: Miramar, Quequén, Pinamar, Mar de Ajó, Villa Gesell, la ciudad de Necochea, y muchos más.

GEOGRAPHIE

La République Argentine occupe avec celle du Chili la partie sud de l'immense triangle que constitue l'Amérique du Sud. Le territoire argentin est presque totalement continental (2.791.810 km^2).

Il comprend un secteur antarctique (965.314 km^2) et plusieurs archipels austraux, intercontinentaux, ayant un rapport avec le continent sud-américain et l'antarctique (4.150 km^2). Ainsi la superficie totale en est de 3.761.274 km^2.

L'hydrographie de l'Argentine présente un versant atlantique très important et différents bassins sans déversoir.

Le bassin du Rio de la Plata appartient au versant atlantique. Il est composé des fleuves : Parana, Uruguay, Rio de la Plata et Paraguay. Cet énorme bassin couvre une superficie de 5.000.000 km^2.

Sa distribution, principalement Nord-Sud donne des climats, des régimes de pluies, une flore et une faune des plus variés qui soient. Il n'y a pas à proprement parlé, de climat argentin et encore moins de paysage typiquement argentin. Dans les provinces de Misiones, Chaco et Santiago del Estero, par exemple, la température peut atteindre 40°C en été.

Dans le sud, sur le territoire de la Terre de Feu, la température peut atteindre, en hiver, plusieurs degrés centigrades en dessous de zéro.

Buenos Aires se trouve à la même latitude que la ville du Cap en Afrique du sud. Très rarement, la température atteint 40° (43°3 en 1957). La température maximale varie entre 38° et 39°. En hiver, le thermomètre descend facilement à 1° et 2°.

Pour des raisons économiques, historiques et culturelles, la grande plaine qui se trouve dans la zone centrale du pays et qui arrive jusqu'à la côte, a été considérée dans le monde entier comme le symbole de l'Argentine. C'est la Pampa, immense étendue de terres complètement plates. Les voyageurs européens ne manquent pas de la comparer à la mer.

Vers le Nord-Est, c'est la forêt subtropicale, à la frontière avec le Brésil. C'est là que se trouvent les chutes d'Iguazu, une attraction touristique internationale, spectacle impressionnant s'il en est.

Le Nord-Ouest présente un paysage de montagnes et de hauts plateaux, de vallées entourées d'énormes murailles de pierre. L'hydrographie, particulièrement faible en humidité donne une atmosphère aux couleurs fortes et contrastées.

La faille de Humahuaca est d'une grande beauté. Dans les oasis que forment les fleuves il existe encore des villages minuscules qui n'ont pas beaucoup changé dans leur aspect extérieur depuis le XVIIème siècle. Dans les vallées, des villes comme Salta et San Salvador de Jujuy conservent des églises et des joyaux d'art religieux datant de la conquête espagnole.

Et c'est encore la forêt dense dans la province de Tucuman. Au centre du pays, on trouve de véritables déserts et des anciens marais salants actuellement secs.

La frontière occidentale, du Nord au Sud, est constituée par la formidable Cordillère des Andes, dont le point culminant est l'Aconcagua, qui atteint presque 7.000 mètres.

Après les riches plaines de la Province de Mendoza, au pied des Andes, vient au Sud la zone de lacs et forêts, qui est partagée avec le Chili. C'est une des beautés touristiques de l'Argentine.

On pratique les sports d'hiver, la pêche, la chasse, la voile, etç...

Depuis les Andes jusqu'à l'Océan Atlantique s'étend la Patagonie, une série de plateaux en déclivité progressive. Ce sont des terres peu peuplées en raison de la dureté du climat et de l'absence d'eau potable.

Dans les provinces centrales de Cordoba et de San Luis, se situent les "sierras" élévations de hauteur moyenne couvertes de végétation. Dans ce paysage harmonieux, il y a des lacs naturels et artificiels, des rivières et des ruisseaux dont la plupart sont propres à la pêche. C'est un centre traditionnel de tourisme national. Pour compléter le tableau, les immenses plages de l'Atlantique, dans la province de Buenos Aires atteignent plus de 200 mètres de large et occupent ensemble 500 km de longueur. Mar del Plata est la ville la plus importante du littoral maritime mais les stations balnéaires sont nombreuses : Maramar, Quequén, Pinamar, Mar de Ajo, Villa Gesell, la ville de Necochea et bien d'autres.

GEOGRAPHY

The Argentine Republic, together with the Republic of Chile, occupies the southern part of the vast triangle of South America. Argentine territory is almost entirely continental and amounts to 2,791,810 square kilometres.

It includes an antarctic region (965,314 square kilometres) and a number of southerly, inter-continental archipelagoes which are common to both South America and the Antarctic (4,150 square kilometres). The total area therefore comes to 3,761,274 square kilometres (about 1,450,000 square miles).

The hydrography of Argentina consists of a very extensive Atlantic watershed and a lesser Pacific one, together with a number of basins with no outlet.

The Rio de la Plata basin belongs to the Atlantic watershed. It consists of the Parana, Uruguay, Plata and Paraguay rivers. This enormous basin covers an area of 5,000,000 square kilometres. Its distribution, which is mainly in the North-South direction, results in the most varied climates, rainfalls, flora and fauna to be found anywhere. There is no Argentine climate properly speaking - far less a typically Argentinian landscape. For example, in the Misiones, Chaco and Santiago del Estero provinces, the temperature may rise to 40°C in summer, whereas in the South, in the territory of Tierra del Fuego, temperatures a few degrees below zero Centigrade are encountered in winter.

Buenos Aires is at the same latitude as Cape Town in South Africa. Very rarely does the temperature rise to 40°C (43°C were recorded in 1957). Maximum temperature varies between 38° and 39°. In winter it is not uncommon for the thermometer to fall to 1° or 2° above zero.

For economic, historic and cultural reasons, the great plain which occupies the central area of the country and runs as far as the coast is always considered throughout the world to be symbolical of Argentina. This is the Pampas region - the vast extent of completely flat land. European travellers always liken it to the sea.

To the North-East we have sub-tropical forest along the frontier with Brazil. Here are to be found the waterfalls of Iguazu - an impressive spectacle which constitutes an attraction for tourists from all over - the world.

The North-West consists of mountains and high plateaux, and valleys surrounded by enormous walls of stone. The very slight rainfall imparts an atmosphere of strongly contrasted colours.

The Humahuaca scarpment is extremely beautiful. In the oases formed by the rivers there are still tiny villages the aspect of which has changed very little since the seventeenth century. In the valleys, churches and jewels of religious art dating from the Spanish Conquest are still to be found in towns such as Salta and San Salvador.

In the Province of Tucuman we find ourselves back in dense forest again, while the centre of the country contains real deserts and dried salt marshes.

The Western frontier, running from North to South, consists of the formidable Andean Cordillera, the culminating peak of which is the Aconcagua, rising to a height of nearly 24,000 feet.

After the luscious valleys of the Province of Mendoza, at the foot of the Andes, there lies to the South the zone of lakes and forests shared with neighbouring Chile. This is one of the tourist beauty spots of Argentina. Here you can enjoy winter sports, fishing, shooting, sailing, and so on.

From the Andes as far as the Atlantic Ocean there stretches Patagonia - a series of plateaux at different heights. This land has only a sparse population owing to the harshness of the climate and the lack of drinking water.

In the central provinces of Cordoba and San Luis are the "sierras" - mountains of a medium altitude covered with vegetation. In this harmonious countryside there are natural and artificial lakes, rivers and streams, most of which provide good fishing. This is a traditional centre for tourists from all over the world. To complete the picture, there are the vast shores of the Atlantic - 300 miles of beaches which, in the Province of Buenos Aires, are more than 200 yards wide in some places. Mar del Plata is the largest town along the coast, but there are a number of seaside resorts, such as Maramar, Quequén, Pinamar, Mar de Ajo, Villa Gesell, the town of Necochea and others.

GEOGRAFIA

A República Argentina ocupa, junto à República do Chile, a porção austral do imenso triângulo que é a América do Sul. O território argentino é quase totalmente continental (2.791.810 km^2), e inclui um sector antártico (965.314 km^2), e vários arquipélagos austrais, intercontinentais em relação ao continente sul-americano e ao antártico (4.150 km^2). A superfície total é pois de 3.761.274 km^2.

Primordialmente de norte-sul a repartição geográfica faz com que os climas, regimes de chuva, flora e fauna sejam muito variados. Não há um clima argentino, como não há uma paisagem argentina. Nas províncias de Missoes, Chaco ou Santiago del Estero, por exemplo, a temperatura pode superar fàcilmente os 40° centígrados no verao. No sul, no território nacional de Tierra del Fuego, chega no inverno a várias dezenas de graus abaixo de zero.

Buenos Aires está na mesma latitude da Cidade do Cabo, no sul africano. Raramente se alcançam os 40° (43° em 1957). O máximo oscila entre 38 e 39°. No inverno o termómetro chega com frequência a 1° e 2° acima de zero.

Por razões económicas, históricas e culturais, a grande planície que ocupa a zona central do país até à costa, tem sido considerada no mundo como um símbolo da Argentina. É a pampa, extensão gigantesca de terra sem acidentes notáveis. Os viajantes europeus comparam-na inevitàvelmente com o mar.

Em direção ao noroeste, na fronteira com o Brasil, a selva subtropical. Ali se encontram as cataratas do Iguaçú, atração turística internacional e espetáculo impressionante.

O noroeste é uma paisagem de montanhas e elevadas mesetas com vales estreitos entre altíssimas paredes de pedra. No ar sêco destacam-se as côres fortes e contrastadas das encostas. A quebrada de Humahuaca é de grande beleza. Nos oásis criados pelos rios, ainda existem pequenos povoados que pouco variaram exteriormente desde o século XVII. Nos vales, cidades como Salta e San Salvador de Jujuy conservam igrejas e preciosidades da arte sacra do tempo da conquista espanhola.

De novo a selva espessa na província de Tucuma. Verdadeiros desertos e antigas salinas, agora secas no centro geográfico do país.

O limite ocidental é ocupado de norte a sul pela formidável cordilheira dos Andes, cuja altura máxima, o Aconcágua, é de quase 7.000 metros. Aos ricos planícies da província de Mendonça, ao pé dos Andes, seguem até o sul as zonas dos lagos e bosques, compartilhadas com o Chile. É uma das belezas turísticas da Argentina. Na região praticam-se desportes de inverno, pesca, caça, navegação a vela, etc.

Dos Andes até ao Oceano Atlântico estende-se a Patagônia, série de pequenos planaltos descendentes escalonadamente. São terras ainda muito despovoadas, pela dureza do clima e a escassez de água potável.

Nas províncias centrais de Córdoba e San Luis encontram-se as serras, elevações de altura média, cobertas de vegetação. Nesta paisagem harmoniosa existem lagos naturais e artificiais, lagoas, rios e arroios, a maioria dos quais com boa pesca. É um centro tradicional de turismo interno. Completam o quadro as extensas praias do Atlántico, na província de Buenos Aires. Chegam a ter mais de duzentos metros de largura, e no conjunto ocupam uns quinhentos quilómetros de longitude. Mar del Plata é a cidade mais importante do litoral marítimo, porém as praias são numerosas: Miramar, Quequém, Pinamar, Mar de Ajó, Villa Gesell, a cidade Necochea, e muitos mais.

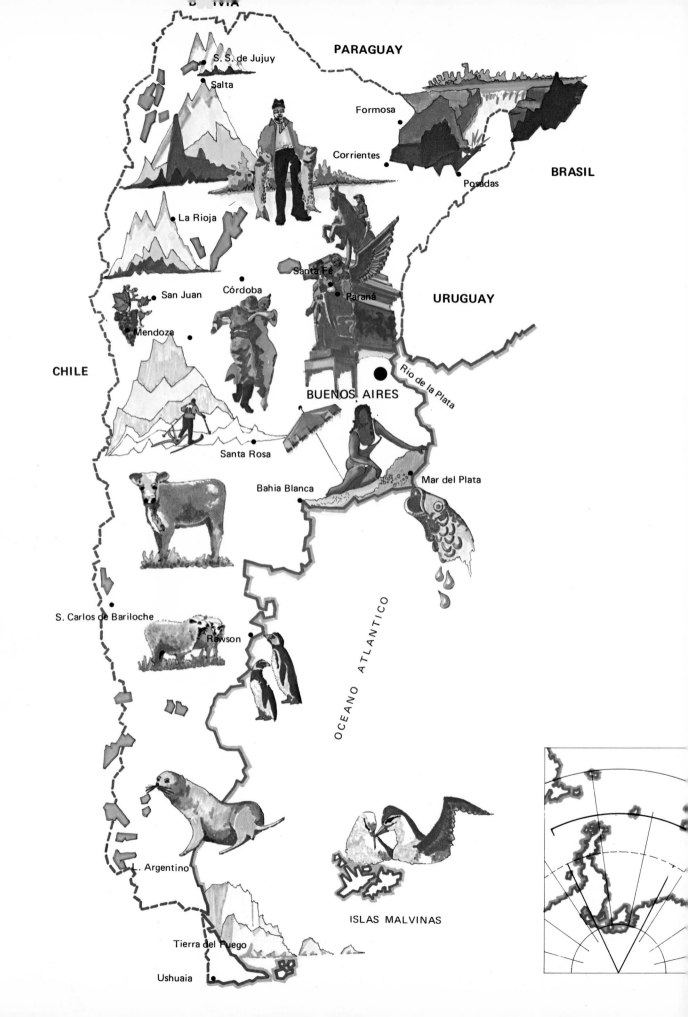

BOLIVIA

PARAGUAY

BRASIL

S. S. de Jujuy

Salta

Formosa

Corrientes

Posadas

La Rioja

Santa Fé

San Juan

Córdoba

Paraná

URUGUAY

Mendoza

CHILE

BUENOS AIRES

Río de la Plata

Santa Rosa

Bahia Blanca

Mar del Plata

OCEANO ATLANTICO

S. Carlos de Bariloche

Rawson

L. Argentino

ISLAS MALVINAS

Tierra del Fuego

Ushuaia

22

IMAGEN DE ARGENTINA

VISAGE DE L'ARGENTINE

ASPECTS OF ARGENTINA

VISAGEM DA ARGENTINA

Solitaria, una iglesia en las cercanías de Bariloche, en el sur argentino.
Solitaire, une église près de Bariloche, dans le sud de l'Argentine.
A lonely church near Bariloche in southern Argentina.
No sol argentino, uma igreja solitária dos arredores de Bariloche.

Al atardecer en la pampa, el ganado se encamina hacia el casco de la estancia.

Vu le soir, dans la Pampa, le bétail en marche vers l'enceinte de la ferme.

The cattle going home in the evening to a farm in La Pampa.

Vista à tardinha na Pampa, o gado dirigindo-se para a cerca da quinta.

Dos gauchos con el tradicional almuerzo, carne asada
y mate.

Deux gauchos avec le repas traditionnel, viande grillée
et maté.

Two gauchos eating their traditional meal of grilled
meat and maté.

Dois "gauchos" com o tradicional almoço, carne assada
e mate.

Casco de Estancia.

El juego de pato prueba la habilidad de los finetes argentinos.
Le jeu de pato démontre l'habileté des cavaliers argentins.
The game of pato demonstrates the skill of Argentine riders.
O jogo de pato prova a habilidade dos cavaleiros argentinos.

Mujer norteña transportando a su hijo.
Femme du nord portant son enfant.
Woman from the North carrying her baby.
Mulher do norte com o seu filho.

POBLACION, COMPONENTES

La población actual de la República Argentina es de 25.000.000 de habitantes en números redondos. Su índice de natalidad es reducido si se lo compara con el de otros países latinoamericanos. En contrapartida, el índice de alfabetización y la proporción de estudiantes universitarios son elevados.

Al producirse la conquista española, durante el siglo XVI, el territorio de lo que es hoy la Argentina estaba habitado por diversos pueblos indígenas, ninguno de los cuales había alcanzado el adelanto cultural de los **incas**, los **mayas** o los **aztecas**. Este hecho fundamental marcó desde el comienzo una característica de la futura nación, pues privó al pasado argentino de un fondo prehispánico, como el de Perú, Guatemala o México.

Existen aún indios puros, casi todos en vías de extinción, y numerosos mestizos en los más diversos grados de proporción sanguínea. Los núcleos se sitúan en el noroeste, noreste y suroeste del país. Un organismo nacional se ocupa de la protección al indígena, víctima durante mucho tiempo de lamentables persecuciones.

El negro en cambio ha desaparecido por completo. La esclavitud existió hasta 1813, y durante el siglo XIX había una población considerable de negros en Buenos Aires. El negro esclavo fue un colaborador del comerciante, el artesano o la dueña de casa. Se fue extinguiendo de a poco, sin dejar huellas apreciables en el arte o la sociedad.

La base de la población es pues blanca española, con aportes indígenas más notables en los vértices del triángulo que forma el territorio argentino. Los europeos no españoles —británicos, franceses, alemanes, italianos, etc.— fueron llegando muy paulatinamente durante el siglo XIX.

A partir de 1890 y durante los treinta años siguientes se produce la inmigración masiva. Millones de españoles e italianos llegan prácticamente sin interrupción. La Constitución Nacional de 1853 declaraba que el territorio estaba abierto a "todos los hombres de buena voluntad". Es necesario señalar que no se trataba de una inmigración calificada ni planificada realmente.

A los españoles e italianos hay que sumar sirios, libaneses y judíos, éstos de Europa Central y Oriental especialmente. Dicha inmigración se dedicó al comercio y a la industria. Por último, durante la Segunda Guerra Mundial y después de ella, y después de la Guerra Civil Española, nuevas oleadas de europeos eligen a la Argentina como país de sus futuros.

Los judíos se instalaron al comienzo en colonias agrícolas en la provincia de Entre Ríos, antes de expandirse por todo el territorio. Sirios y libaneses fundaron colectividades más estables en las provincias de Córdoba, San Luis, San Juan y Tucumán. Muchos italianos prefirieron las grandes ciudades, como Buenos Aires, Rosario y Mendoza. Familias británicas —galeses especialmente— se atrevieron a vivir en la Patagonia, donde crearon importantes establecimientos de campo. Alemanes, suizos y austríacos encontraron paisajes semejantes a los de sus patrias en la región de los lagos, al sur. En el hoy moderno barrio de Belgrano, en Buenos Aires, siguen viviendo e instalándose familias alemanas e inglesas. Los franceses no dieron carácter a ninguna región o barrio determinado, salvo a la ciudad de Pigüé, en la provincia de Buenos Aires. El carácter "parisiense" de algunas calles de la capital, o el estilo **art nouveau** de muchas construcciones en Rosario, no se deben a la instalación allí de una verdadera colectividad francesa, sino a una preferencia del gusto argentino de la época.

Puede afirmarse que en la Argentina no hay colectividades cerradas, ni problemas raciales o de minorías. Este gran movimiento de inmigraciones y nacionalidades provocó el desarrollo de una poderosa clase media, la más ilustrada y numéricamente importante de América Latina. De una manera general, la integración democrática de los diversos grupos sociales se da armónicamente.

Por los párrafos anteriores se comprende que no existe un tipo humano específicamente argentino, definido y reconocible. La unidad se ha perpetuado a través de la persistencia de formas de vida, de coexistencia, y de respuesta a los estímulos históricos.

Unas palabras sobre el **gaucho**. Este término señala a un habitante de las llanuras argentinas, gran jinete, de costumbres sobrias, solitario y arrogante. Los documentos empiezan a ocuparse de él en el siglo XVII. A comienzos del XX ya ha evolucionado visiblemente hacia el **paisano** trabajador del campo, mucho menos independiente y solitario.

POPULATION

La population actuelle de la République Argentine est, en chiffres ronds, de 25.000.000 d'habitants. L'indice de natalité est réduit par rapport à celui des autres pays de l'Amérique Latine. En contrepartie, l'indice d'alphabétisation et la proportion d'étudiants universitaires sont les plus élevés.

Au moment de la conquête espagnole, au XVIème siècle, le territoire qui constitue aujourd'hui l'Argentine était peuplé de différentes populations indigènes, dont aucune n'avait atteint le développement culturel des Incas, des Mayas ou des Aztèques. Ce fait essentiel a marqué dès l'origine les caractéristiques de la future nation, car il prive le passé argentin d'un fond pré-hispanique, comme ce fut le cas au Pérou, au Guatemala ou au Mexique.

Il existe encore des indiens purs, presque tous en voie d'extinction, et de nombreux éléments métissés, à des degrés divers : les noyaux se situent au Nord-Ouest, Nord-Est et Sud-Ouest du pays. Un organisme national s'occupe de la protection de l'indigène, victime pendant longtemps de lamentables persécutions.

Le noir, par contre, a disparu totalement. L'esclavage a existé jusqu'en 1813 et pendant le XIXème siècle il y avait à Buenos Aires une population noire considérable. L'esclave noir fut un collaborateur du commerçant, de l'artisan, ou de la femme au foyer. Peu à peu cette race disparut sans laisser de trace appréciable dans l'art ou dans la société.

La base de la population argentine est donc blanche, avec des apports indiens, plus marqués sur les sommets du triangle argentin que forme le pays.

Les européens, non espagnols - britanniques, français, allemands, italiens, etc - vinrent peu à peu durant le XIXème siècle.

A partir de 1890 et pendant les trente années qui suivirent, une immigration massive se produisit; des millions d'espagnols et d'italiens arrivèrent pratiquement sans interruption. La Constitution Nationale de 1853 déclarait le territoire argentin ouvert à "tous les hommes de bonne volonté". Il est nécessaire de signaler qu'il ne s'agissait pas d'une immigration qualifiée ni planifiée.

Aux immigrants espagnols et italiens, il faut ajouter les Syriens, les Libanais et les Juifs, ces derniers venant surtout d'Europe Centrale et Orientale.

Ces immigrants s'orientèrent vers le commerce et l'industrie. Finalement pendant la seconde guerre mondiale et après elle, ainsi qu'après la guerre civile espagnole, des nouvelles vagues d'européens choisirent l'Argentine comme pays de leur avenir.

Les Juifs s'installèrent au début en colonies agricoles dans la province d'Entre Rios, avant de fonder des collectivités plus stables dans les provinces de Cordoba, San Luis, San Juan et Tucuman. Beaucoup d'italiens ont préféré les grandes villes, comme Buenos Aires, Rosario et Mendoza. Des familles britanniques, galloises en particulier, eurent la hardiesse de s'installer en Patagonie, où ils créèrent d'importants établissements agricoles. Allemands, suisses et autrichiens trouvèrent des paysages semblables à leur pays respectif, dans la région des lacs, dans le Sud.

Dans le quartier de Belgrano, à Buenos Aires, continuent à vivre et à s'installer des familles allemandes et anglaises. La colonie française ne marqua en particulier aucune région, aucun quartier, si ce n'est la ville de Pigüé, dans la province de Buenos Aires. Le caractère "parisien" de certaines rues de la capitale, ou le style "art nouveau" de plusieurs constructions à Rosario ne sont pas dus à une véritable installation de collectivité française, mais au goût argentin de l'époque.

On peut affirmer qu'en Argentine, il n'y a pas de collectivités fermées, ni de problèmes raciaux ou de minorités. Ce grand mouvement de migrations et nationalités engendra le développement d'une puissante classe moyenne, la plus éclairée et numériquement la plus importante de l'Amérique Latine. D'une manière générale, l'intégration démocratique des divers groupes sociaux se déroule assez harmonieusement.

Compte tenu de ce qui est exposé ci-dessus, on conçoit qu'il n'existe pas de type humain spécifiquement argentin, très typé et reconnaissable. L'unité se déroule à travers la persistance de formes de vie, de coexistence et de réponses aux stimulants historiques.

Quelques mots sur le "gaucho"; ce terme désigne l'habitant des plaines argentines, grand cavalier, aux habitudes sobres, solitaire et arrogant; il commence à figurer dans l'Histoire à partir du XVIIème siècle.

Au début du XXème siècle, il a déjà évolué visiblement et s'est transformé en paysan qui travaille la terre, bien moins indépendant et moins solitaire mais il a gardé les qualités étiques du gaucho et reste sujet d'inspiration et d'idéalisation dans les lettres et la peinture.

Dans de nombreux endroits on conserve et garde soigneusement l'art de monter avec les accessoires de cuir et d'argent traditionnels. Cette caractéristique pourra disparaître mais la dédicace de Ricardo Güiraldes, dans son roman "Don Segundo Sombra" demeurera toujours présente : "Au gaucho que je porte en moi, comme le tabernacle renferme l'hostie".

POPULATION

In round figures the present population of the Argentine Republic numbers 25 million. The birth rate is lower than that of other Latin American countries. On the other hand, the literacy rate and the proportion of university students is higher.

At the time of the Spanish conquest during the sixteenth century, the territory which today constitutes Argentina was inhabited by various native populations, none of whom had attained the level of cultural development of the Incas, Mayas or Aztecs. This essential fact stamped the future nation from the beginning, since it deprived the Argentinian past of a pre-Spanish background such as existed in Peru, Guatemala and Mexico.

There still are a few pure-blooded Indians, nearly all in the process of extinction, and numbers of half-breeds of different degrees. Groups of these are to be found in the North-West, North-East and South-West of the country. A national organization deals with the protection of the natives who, for a long time, were the victims of deplorable persecution.

The negro, on the other hand, has completely disappeared. Slavery existed until 1813, and during the nineteenth century there was a considerable black population in Buenos Aires. The black slave worked for the tradesman, the artisan or as a domestic servant. The race gradually disappeared without leaving much trace either in the arts or in society generally.

Basically, therefore, the Argentinian population is white, with Indian admixtures most of which are concentrated in the corners of the triangle which constitutes the national territory.

Non-Spanish Europeans - British, French, German, Italian, etc. - began coming to the country during the nineteenth century.

During the thirty years from 1890 onwards, there followed immigration on a massive scale; millions of Spaniards and Italians arrived in an almost uninterrupted stream. The 1853 National Constitution had declared Argentine territory to be open to "all men of good will". It should be pointed out that this was not a planned or controlled immigration.

In addition to Spanish and Italian immigrants there were those from Syria and Lebanon and also Jews, mainly from Central and Eastern Europe.

These immigrants engaged in trade and industry. Lastly, during and after the second World War, and also after the Spanish Civil War, further waves of Europeans chose Argentina as their country of the future.

In the beginning, the Jews set up agricultural colonies in the Entre Rios Province before forming more stable collectivities in the provinces of Cordoba, San Luis, San Juan and Tucuman. Many Italians preferred to settle in the large towns, such as Buenos Aires, Rosario and Mendoza. Certain British families, particularly the Welsh, had the courage to settle in Patagonia, where they started large farms. The Germans, Swiss and Austrians found country similar to that which they had come from in the lake region of the South.

German and English families still live and settle in the Belgrano district of Buenos Aires, but the "Parisian" character of certain streets in the capital and the "art nouveau" style of a number of buildings at Rosario are due, not to the founding of a real French colony but to the Argentinian taste of the period.

It may be stated that there are no closed collectivities in Argentinian or any racial or minority problems. This large-scale movement of migration resulted in the emergence of a powerful middle class, the most enlightened and the largest numerically in Latin America. Generally speaking, the democratic integration of the various social groups takes place quite harmoniously.

In view of all the above, it might be supposed that there is no specifically Argentinian human type, recognizable as such, but unity does occur as a result of the persistence of ways of life, coexistence and responses to historical stimulants.

A few words about the "gaucho". This term describes the inhabitant of the Argentine plains - a great horseman, solitary and arrogant in his dark clothes. He begins to occupy a place in history as from the seventeenth century.

At the beginning of the nineteenth century he had already changed visibly into a peasant who tilled the land, had become less independent and was less arrogant.

The characteristics of the true gaucho have inspired much literature and painting. The modern traveller will discover the ethic qualities of the gaucho among the country-dwellers of the Argentinian pampas. In many places, they still ride horses with the traditional trappings of leather and silver. This is a characteristic which may well disappear but the dedication of Ricardo Guiraldes in his novel "Don Segundo Sombra" will always remain valid: "To the Gaucho within me, just as the Host is in the tabernacle".

A população actual da Republica Argentina é de 25.000.000 de habitantes em números redondos. Seu índice de natalidade é reduzido quando se compara com os índices dos outros países latinoamericanos. Em compensação, o índice de alfabetização e a proporção de estudantes universitários são elevados.

Na altura da conquista espanhola, durante o século XVI, o território do que é hoje a Argentina era habitado por diversos povos indígenas, nenhum deles havia alcançado o adiantamento cultural dos incas, dos maias ou dos aztecas. Êste facto fundamental marcou desde o começo uma característica da futura nação, pois privou o passado argentino de um fundo tradicional prehispánico, como o do Perú, Guatemala ou México.

Existem ainda indios puros, quase todos em vias de extinção, e numerosos mestiços nos mais diversos graus de proporção sanguínea. Os núcleos situam-se no noroeste, nordeste e sudoeste do país. Um organismo nacional ocupa-se da proteção ao indígena, vítima durante muito tempo de lamentáveis perseguições.

O negro por outro lado, desapareceu por completo. A escravatura existiu até 1813, e durante o século XIX havia uma população considerável de negros em Buenos Aires. O escravo negro foi um ajudante do comerciante, do artesão ou da dona de casa. Estinguiu-se pouco a pouco, sem deixar "páginas" apreciáveis na arte ou na sociedade.

A base da população é pois branca espanhola, com contributos indígenas mais notáveis nos vértices do triangulo que forma o território argentino. Os europeus não espanhóis - britânicos, franceses, alemães, italianos, etc. - foram chegando muito paulatinamente durante o século XIX.

A partir de 1890 e durante os trinta anos seguintes produz-se a imigração massiva. Milhões de espanhóis e italianos chegam práticamente sem interrupção. A Constituição Nacional de 1853 declarava que o território está aberto a "todos os homens de boa vontade". É necessário assinalar que não se tratava de uma imigração qualificada nem realmente planificada.

Aos espanhóis e italianos deve-se somar sírios, libaneses e judeus, êstes sobretudo da Europa Central e Oriental. Tal imigração dedicou-se quase sem excepção ao comércio e à indústria. Por último, durante a Segunda Guerra Mundial e depois dela, e depois da Guerra Civil Espanhola, novas ondas de europeus elegeram a Argentina como país de seus futuros.

Os judeus instalaram-se ao principio nas colónias agrícolas da província de Entre-Rios, antes de expandirem-se por todo o território. Sírios e libaneses fundaram colectividades mais estáveis nas províncias de Córdoba, San Luis, San Juan e Tucuma. Muitos italianos preferiram as grandes cidades, como Buenos Aires, Rosário e Mendonça. Famílias britânicas - galesas especialmente - atreveram-se a viver na Patagónia, onde criaram importantes estabelecimentos de campo. Alemães, suíços e austríacos encontraram paisagens semelhantes às de suas pátrias na região dos lagos, ao sul. Hoje, no moderno bairro de Belgrano, em Buenos Aires, continuam vivendo e instalando-se famílias alemães e inglesas. Os franceses não deram carácter a nenhuma região ou bairro determinado, salvo na cidade de Pigüe, na província de Buenos Aires. O carácter "parisiense" de algumas ruas da capital, ou o estilo art nouveau de muitas construções em Rosário, não se devem à presença de uma verdadeira colectividade francesa, mas a uma preferência do gosto argentino da época.

Pode afirmar-se que na Argentina não há colectividades fechadas, nem problemas raciais ou de minorias. Este grande movimento de imigrações e nacionalidades provocou o desenvolvimento de uma poderosa classe média, a mais ilustrada e numericamente importante da América Latina. de Uma maneira geral, a integração democrática dos diversos grupos sociais faz-se harmoniosamente.

Pelos parágrafos anteriores compreende-se que não existe um tipo humano específicamente argentino, definido e reconhecível. A unidade tem-se perpetuado através da persistência de formas de vida, de coexistência e de reposta aos estímulos históricos.

Umas palavras sobre o protótipo do gaúcho. Este têrmo assinala um habitante das planícies argentinas, grande cavaleiro, de costumes sóbrios, solitário e arrogante. Os documentos começam a ocupar-se dele no século XVII. No começo do XX já tinha evoluído visívelmente até ao paisano trabalhador do campo, muito menos independente e solitário.

As caracteristicas do gaucho real inspiraram uma idealização literária, pictórica e moral, que inclusive incentivou vários ensaístas. O viajante de hoje, ao percorrer a pampa argentina, seguirá encontrando as atitudes éticas do gaucho nos homens actuais do campo.

Em muitos lugares cultivam-se cuidadosamente os segredos da arte de montar com as prendas tradicionais em couro e prata. Este característico exemplar humano poderá desaparecer materialmente, mas a dedicatória de Ricardo Güiraldes está presente em sua novela Don Segundo Sombra: "Ao gaucho que levo em mim, como a custódia que leva a hóstia".

BUENOS AIRES

Plaza Dorrego, feria dominical de antigüedades.
Place Dorrego, foire dominicale aux antiquités.
Dorrego Square, the Sunday antique market.
Praça Dorrego, feira dominical das antiguidades

En este antiguo lugar de Buenos Aires, llamado Plaza de la Presidencia, el 16 de setiembre de 1836 los vecinos de San Telmo juran la Independencia Nacional en presencia del Director Supremo del Rio de la Plata Brigadier General Don Juan Martin de Pueyrredon.

Dans cet emplacement du vieux Buenos Aires, appelé Place de la Présidence, le 16 septembre 1836, les habitants du quartier San Telmo prêtent le serment de l'Indépendance Nationale en présence du Directeur Suprême du Rio de la Plata, Brigadier Général Juan Martin de Pueyrredon.

Here, at a place called Presidency Square in old Buenos Aires, the inhabitants of the San Telmo district swore the oath of national independence in the presence of Brigadier-General Juan Martin de Pueyrredon on 16 September 1836.

Nesta praça antiga de Buenos Aires, chamada "Plaza de la Presidencia", foi jurada a independência nacional, em 16 de Setembro de 1836, pelos habitantes de San Telmo em presença do Director Supremo de Rio de la Plata, Brigadeiro General Don Juan Martin de Pueyrredon.

Ubicada rio arriba del estuario que un escritor llamó
"el gran río color de león", y otro "el río inmóvil", se
levanta y crece día y noche la más grande ciudad de habla
española del mundo entero: Buenos Àires. Su población
cosmopolita sobrepasa la cifra de siete millones. Buenos
Aires es la capital intelectual del continente.

Cada día se dictan en Buenos Aires aproximadamente
40 conferencias, con entrada libre, sobre temas muy
diversos. Abundan igualmente exposiciones de cuadros,
dibujos y esculturas.

Desde 1810, casi toda la historia sudamericana, surgió
desde la Plaza de Mayo en Buenos Aires: es desde este lugar
que salieron, a veces sin regreso, los ejércitos que dieron la
libertad a tantas naciones. Es allí donde se encuentra la
Pirámide, el Cabildo, la catedral donde yacen los restos de
San Martín, y la Casa Rosada, sede del Gobierno. En toda
la zona céntrica de la ciudad alternan bancos monumentales
y viejas iglesias, como San Juan, o antiguos conventos:
Santa Clara, Las Catalinas o también la Casa de Retiros
Espirituales fundada en 1795, en el barrio de la Concepción,
por una bienaventurada de Santiago del Estero. Plazas y
parques se escalonan desde el centro hacia el norte, oeste
y sur; no terminaríamos nunca de enumeralos todos, pero
no podemos dejar de lado Palermo con sus jardines inmensos,
la Recoleta y sus árboles centenarios con denso follaje, ni
tampoco el misterioso parque Lezana con sus pequeñas
colinas y donde el museo histórico guarda preciosamente el
retrato y las armas de los libertadores. Al este, el "río
inmóvil" del cual hemos hablado anteriormente y, a orilla
del río, la Costanera, bello paseo bordeado de magníficos
álamos.

Aunque reuna todos los estilos, Buenos Aires posee
un carácter particular, una magia peculiar que se apodera
totalmente de los que llegan a ella. Pese a su historia breve
pero rica, Buenos Aires, al contrario de las demás ciudades
sudamericanas, no contempla el pasado. Ni el conquistador,
ni el indio presentan interés para ella; lo que le importa es
el presente, el porvenir, cargados de problemas, los cuales,
sin duda alguna, serán resueltos como lo han sido tantas veces.

Recordemos estos versos de Baldomero Fernandez
Moreno:

"No me importan los desaires
"Con que me trata la suerte
"Si que me consuelo con verte
"O, luna de Buenos Aires".

*Plaza de Mayo, al fondo, la Presidencia de la
Nacion conocida como Casa Rosada.*

*"Plaza de Mayo". Au fond, la Présidence de la
Nation connue sous le nom de Casa Rosada.*

*"Plaza de Mayo". In the distance, the National
Presidency, known as the "Casa Rosada".*

*"Plaza del Mayo", so fundo, a Presidência da
Nação conhecida por "Casa Rosada".*

Située en amont du large estuaire qu'un écrivain a appelé "le grand fleuve couleur de lion", et un autre, "le fleuve immobile", s'élève et croît, jour et nuit, la plus grande cité de langue espagnole du monde entier : Buenos Aires. Sa population cosmopolite dépasse le chiffre de sept millions. Buenos Aires est la capitale intellectuelle du continent.

Chaque jour, se donnent à Buenos Aires, environ quarante conférences - à entrée libre - sur les sujets les plus divers. Y abondent, également les expositions de tableaux, de dessins et de sculptures.

A partir de 1810, presque toute l'histoire sud-américaine a pris son essor de la "Plaza de Mayo" de Buenos Aires : c'est de là que partirent parfois sans y revenir, les armées qui donnèrent la liberté à tant de nations. C'est là que se trouvent la Pyramide, le Cabildo, la Cathédrale - où reposent les restes de San Martin - et la "Casa Rosada", la Maison du Gouvernement. Dans toute cette zone du centre de la cité alternent les banques monumentales et les vieilles églises, comme San Juan, ou les antiques couvents "Santa Clara", "Las Catalinas", ou encore la "Casa de retiros espirituales" (des retraites spirituelles) que la bienheureuse de Santiago del Estero fonda en 1795 dans le quartier de la Concepcion. Places et parcs s'échelonnent du centre vers le nord, l'ouest et le sud; il serait interminable de tous les nommer, cependant nous ne pouvons passer sous silence Palermo, avec ses immenses jardins, la Recoleta avec ses arbres centenaires aux denses frondaisons, pas plus que le Parc Lezama, mystérieux, avec ses petites collines où le Musée Historique garde précieusement les portraits et les armes des libérateurs. A l'est, le "fleuve immobile" dont nous parlions tout à l'heure et, sur le rio, la Costanera, belle promenade bordée de magnifiques peupliers.

Buenos Aires, bien qu'il réunisse tous les styles, possède un caractère particulier, une tacite magie qui s'empare entièrement de ceux qui y viennent.

En dépit de son histoire, brève mais riche, Buenos Aires, à l'inverse d'autres cités sud-américaines, ne contemple pas le passé. Le conquistador pas plus que l'indien ne l'intéresse; ce qui lui importe c'est le présent, et c'est l'avenir, chargés de problèmes qui sans aucun doute seront résolus, comme ils l'ont été tant de fois.

Rappelons ces vers de Baldomero Fernandez Moreno :
"Que m'importent les affronts
"Que m'inflige le sort
"Si je me console en te voyant
"O lune de Buenos Aires".

Vista aerea de Buenos Aires para apreciar el contraste del estilo moderno con la influencia europea.

Vue aérienne de Buenos Aires pour juger du contraste du style moderne et de l'influence européenne.

Aerial view of Buenos Aires, showing the contrast of the modern style of architecture with that influenced by Europe.

Nesta vista aérea de Buenos Aires pode-se pareciar o contraste entre o estilo moderno e a influência europeia.

Situated upstream from the wide estuary of what one writer referred to as the "big lion-coloured river" and another "the calm river", there rises and grows, day and night, the largest Spanish-speaking city in the world - Buenos Aires. Its population is cosmopolitan and numbers over seven million. Buenos Aires is the intellectual capital of the Continent.

Every day about forty conferences on the most widely varying subjects are held in Buenos Aires. There are also a great many exhibitions of pictures, drawings and sculptures.

As from 1810, nearly the whole of south-American history started from the "Plaza de Mayo" in Buenos Aires; and it was from here that the armies marched away to bring liberty to so many nations - some of them never to return. Here are to be found the "Pyramid", the "Cabildo", the cathedral containing the remains of San Martin, and the "Casa Rosada", the seat of Government. In the entire area which constitutes the City Centre, monumental banks stand side-by-side with old churches such as San Juan and old monasteries such as Santa Clara, Las Catalinas and the Casa de Retiros Espirituales, which the blessed from Santiago del Estero founded in the Concepcion district in 1795. As you go North, West or South from the Centre, there is a succession of public squares and parks. To name them all would take up too much space, but we must make some mention of Palermo, with its vast gardens, Recolta with its centuries old trees covered with dense foliage, and Lezama, a mystery-shrouded park where the History Museum jealously guards the portraits and weapons of the liberators. To the East, the "calm river" we have just mentioned runs by the side of the Costanera, a pleasant walk shaded by magnificent poplars.

Although all styles of architecture can be found in Buenos Aires, the city has a character of its own - a tacit magic which takes possession of all who come here.

In spite of its brief but rich history, Buenos Aires, unlike other South-American cities, is not satisfied to contemplate its past. The conquistadores interest it no more than do the Indians; what counts is the present and the future, full of problems which will, no doubt, be solved as they have so often before.

It is worth while recalling the following lines, by Baldomero Fernandez Moreno:-

"What do I care for the insults
Inflicted on me by fate,
If I can console myself
With the moon of Buenos Aires?"

Situada a montante do largo estuário chamado "o grande rio cor de lião" por um escritor e "rio imóvel" por outro, acorda, cresce, dia e noite, a maior cidade de língua espanhola do mundo: Buenos Aires. Sua população cosmopolita ultrapassa o número de sete milhões. Buenos Aires é a capital intelectual do continente.

Em Buenos Aires pode-se assistir, todos os dias, a quarenta conferências sobre os temas mais variados - com entrada livre -. As exposições de quadros, de desenhos e de esculturas são inúmeras.

É da "Plaza de Mayo" em Buenos Aires que se fez quase toda a história sul-americana a partir de 1910 : foi daí que partiram, muitas vezes sem regresso, os exércitos que deram a liberdade a tantas nações. Também é aí que se encontra a Pirâmide, o Cabildo, a Catedral onde jaz San Martin - a "Casa Rosada", o edifício do Governo. Nesta zona do centro alternam bancos monumentais e velhas igrejas, como San Juan, ou os velhos conventos "Santa Clara", Las Catalinas, ou ainda a Casa de retiros espirituais (do retiro espiritual) fundada pela bemaventurada de Santiago del Estero em 1795 no bairro de Concepcion. Praças e parques alternam do centro em direção do norte, do oeste e do sul; seria interminàvel de os nomear, mas, no entanto, não podemos deixar de falar de Palermo, com os seus jardins imensos, da Rocoleta com as suas árvores centenárias com densa folhagem, como também do Parque Lezama, misterioso, com as suas pequenas colinas e aonde o Museu Histórico guarda preciosamente os retratos e armas dos libertadores. Para leste, "o rio imòvel" de que jà falàmos e nesse rio, a Costanera, lindíssimo passeio ladeado de mágnificos choupos.

Mesmo com todos os seus estilos, Buenos Aires tem o seu caràcter, uma magia tácita que ganha completamente todos os que vêm a ela.

Ao inverso das outras cidades sul-americanas e apesar de sua história, breve mas rica, Buenos Aires não contempla o passado. Não lhe interessa nem o Conquistador nem o índio; mas sim o presente e o futuro com os seus problemas que serão certamente resolvidos, como jà o foram tantas vezes.

Lembramos estes versos da Baldomero Fernandez Moreno :
"Que me importão as infâmias
"Que me inflige a ventura
"Se me consola quando te vejo
"O lua de Buenos Aires".

El hotel Shératon y la Torre de los Ingleses regalo del Gobierno Ingles a los Argentinos en 1910 para el centenario de la Independencia Argentina.

L'Hôtel Sheraton et la Tour des Anglais, cadeau du Gouvernement anglais aux Argentins en 1910 pour le 100ème anniversaire de l'Indépendance de l'Argentine.

The Sheraton Hotel and the "Tower of the English", which was presented to Argentina by the British Government in 1910 on the occasion of the hundredth anniversary of the Republic's Independence.

O Hotel Sheraton e a Torre dos Ingleses, presente do governo inglês aos argentinos em 1910 em comemoração do centenario da independência da Argentina.

Congreso Nacional.
Congrès National.
National Congress.
Congresso Nacional.

Plaza de Buenos Aires.
Place de Buenos Aires.
Buenos Aires Square.
Praça de Buenos Aires.

Teatro Colon.
Le théâtre Colon.
The Colon Theatre.
Teatro Colon.

La influencia de fin de siglo en la arquitectura porteña.
L'influence de fin de siècle dans l'architecture de Buenos Aires.
Late nineteenth-century influence in Buenos Aires architecture.
Influência do fim de século na arquitectura portenha.

Lago de Palermo.
Lac de Palerme.
Palermo Lake.
Lago de Palerme.

"Porteña".
Femme de Buenos Aires.
Woman of Buenos Aires.
"Porteña" mulher de Buenos Aires.

Avenida 9 de Julio.
Avenue du 9 Juillet.
Avenue of 9th July.
Avenida 9 de Julho.

El centro de Buenos Aires. La calle peatonal Florida.
Centre de Buenos Aires, la rue piétonière Florida.
Florida Street, a pedestrian precinct in the heart of Buenos Aires.
Centro de Buenos Aires. Rua reservada para os peões "Florida".

Estudiantes festejando el fin del siclo scolar.
Etudiantes fêtant la fin de l'année scolaire.
Schoolgirls celebrating the end of the school year.
Estudantes festejando o fim de ano escolar.

Nuevas construcciones sobre la avenida Leandro Alem.
Nouvelles constructions sur l'avenue Leandro Alem.
New buildings on Leandro Alem avenue.
Novos edifícios na avenida Leandro Alem.

El Tigre, la zona turística mas cercana a Buenos Aires.
"El Tigre", région touristique près de Buenos Aires.
"El Tigre", a tourist area near Buenos Aires.
El Tigre a região turística próxima de Buenos Aires.

Artesanía típica de la zona del Delta.
Artisanat typique de la région du Delta.
Typical crafts of the Delta Region.
Artisanato típico da região do Delta.

Barrio de La Boca, la tradición italiana.
Le quartier de La Boca, la tradition italienne.
The La Boca district, with its Italian tradition.
Bairro da Boca, a tradição italiana.

Mar del Plata, el Hotel Provincial.
Mar del Plata : l'Hôtel Provincial.
Mar del Plata - the Provincial hotel.
Mar del Plata, o Hotel Provincial.

Vista aérea marplatense, el centro turístico internacional predilecto en América del Sur.

Vue aérienne de Mar del Plata, le centre touristique international de choix en Amérique du Sud.

Aerial view of Mar del Plata - the choice international tourist centre of Latin America.

Vista aérea de Mar del Plata, o centro turístico de predileção da América do Sul.

La pesca deportiva atrae a numerosos turistas por la cantidad y calidad de ejemplares que abundan en las aguas tranquilas.

La pêche sportive, attire de nombreux touristes en raison de la qualité et de la variété des espèces qui abondent dans les eaux tranquilles.

Fishing, as a sport, attracts numerous tourists owing to the quality and variety of the abundant fish in these calm waters.

A pesca desportiva atrai inúmeros túristas pela quantidade e qualidade dos exemplares que abundam nas águas tranquilas.

PARANA

Lujoso hotel casino sobre las "barranca" del Rio Parana.
Luxueux hôtel casino sur la "barranca" du Rio Parana.
Luxury casino hotel on the Rio Parana "barranca".
Luxuoso "Hotel casino" na "Barranca" do Rio Parana.

Las arboladas avenidas de Rosario a la orilla del Rio.
Les avenues ombragées de Rosario, au bord du fleuve.
The shaded avenues of Rosario on the banks of the river.
As arborisadas avenidas de Rosario ao pé do Rio.

Elevador de granos del puerto de Santa Fé.
Elévateur de grains du port de Santa Fé.
Grain elevator at Santa Fé harbour.
Elevador de grãos no porto de Santa Fé.

SANTA FE

ECONOMIA Y RECURSOS

"Granero del mundo", se llamó a la Argentina durante largo tiempo. Hoy, la existencia de muchos buenos productores hace que no exista ningún país que sea en realidad el granero del mundo.

No obstante, la producción base argentina continúa siendo la de trigo y maíz por un lado, y la cría de ganado vacuno por el otro.

La **pampa** "húmeda" —por oposición a la **pampa** "seca", que ocupa otras regiones del país— es la zona más adecuada para ambos rubros, junto con la llanura ondulada de la provincia de Entre Ríos. Debe agregarse el lino, el girasol, las plantas forrajeras, la cebada.

En las provincias del noreste se cultiva arroz, té, tabaco. La del Chaco es un importante productor de algodón. En la zona de Tucumán continúa siendo el mayor recurso el tradicional cultivo de la caña de azúcar, industrializada en modernos establecimientos llamados **ingenios**. El tabaco es propio de las provincias de Salta y Jujuy.

Entre la pampa y la meseta patagónica se extiende el valle del río Negro, donde es muy abundante la producción de frutales. También lo es en la desembocadura del río Paraná, a pocos kilómetros de Buenos Aires (**delta** del Paraná).

La explotación de maderas tiene lugar especialmente en la ancha franja que, de oeste a este, va desde la provincia de Salta a la de Formosa y Misiones. Es el caso del **quebracho**, de madera dura y resistente, usado desde el siglo XIX para la construcción de "durmientes" en las vías del ferrocarril y el extracción del tanino.

La cría de ganado vacuno está destinada a la obtención de carne y cuero, en mayor proporción que a la industria lechera. El desarrollo de ésta es significativo, pero no puede compararse con la tradicional riqueza de la pampa, la carne y el cuero vacunos, que ya era bien conocida en el siglo XVII. Por cierto que están muy lejos los tiempos de los ganados **cimarrones** o salvajes. En la época del Virreinato y aún bastante más tarde, los vacunos de la pampa se reproducían libremente, no se conocía su número exacto, se movían en campos no cercados a lo largo de centenares de kilómetros. Había también caballos y perros **cimarrones**; estos últimos actuaban como verdaderos lobos.

La cría de ganado se hace hoy con métodos científicos, pero siempre en forma extensiva, dada la abundancia de terreno. El caballo ya no es un elemento primordial de trabajo o de transporte, pero aún se le utiliza en ambos sentidos. La cría sistemática se sigue haciendo para las carreras en los hipódromos y la práctica de deportes como el polo o el **pato**, o simplemente la equitación. No existe en América Latina la costumbre de consumir carne de caballo en la alimentación.

La Patagonia es la región por excelencia de cría de ganado ovino, y por lo tanto el mayor centro productor de lana del país. La cabra, en cantidades mucho menores, se encuentra en las **sierras** de las provincias de Córdoba y San Luis, y en la zona montañosa del noroeste.

Los cerdos y las aves de corral se hallan sobre todo en las provincias de **Buenos Aires,** Santa Fé y Entre Ríos. La pesca es abundante y variada en el enorme litoral marítimo, pero también en el río Paraná a lo largo de centenares de kilómetros, en los lagos del sur y en los lagos artificiales de Córdoba.

Recientes estudios tienden a intensificar la explotación de hierro y cobre, y en menor cantidad de cinc, tungsteno, manganeso y estaño. Los únicos yacimientos de hierro en plena explotación están en la provincia de Jujuy. La Dirección de Fabricaciones Militares dió origen a la siderurgia argentina, mediante la construcción y explotación de los altos hornos de Zapla (Jujuy), y después con Somisa en San Nicolas, provincia de Buenos Aires.

Las riquezas minerales del país, según cálculos de estudiosos, pueden ser muy considerables. No obstante, la infraestructura necesaria para el aprovechamiento de dichas riquezas aún no ha sido puesta en marcha.

En cuanto a los metales no metalíferos y rocas de aplicación, puede mencionarse la sal común, arcillas, yeso, mármoles, piedras calizas, etc... "Nuestro país — dice un investigador — tiene la reserva de bórax más importante de la tierra, pero no se la explota con intensidad. Los yacimientos se encuentran en plena **puna** jujeña".

Las reservas de uranio superan las quince mil toneladas. La planta atómica de Atucha (provincia de Buenos Aires) utiliza el uranio natural. La empresa estatal Yacimientos Carboníferos Fiscales se ocupa de la explotación del carbón en los yacimientos de Río Turbio (provincia de Santa Cruz), y de su transporte.

Yacimientos Petrolíferos Fiscales regula la política petrolera de la Nación. Las reservas actualmente en explotación alcanzarían para unos diez años más. Se redoblan pues las búsquedas de nuevas reservas, cuya existencia se considera segura. La Argentina importa el 10% del petróleo que consume.

Largo tiempo demorada por tratarse de un país productor de materias primas, la industria argentina empezó a hacerse notar después de la Segunda Guerra Mundial. Actualmente, tienen gran desarrollo la industria automotriz y ferroviaria, la metalúrgica, la de artículos domésticos, de la alimentación, textil, del cuero, química, etc...

El ensayista Ezequiel Martínez Estrada llamó a Buenos Aires **La cabeza de Goliat,** por la excesiva concentración de población y actividades con respecto al resto del país. Desde el punto de vista industrial sucede lo mismo. De Rosario a La Plata (capital de la provincia de Buenos Aires), se extiende a lo largo de 350 kilómetros ininterrumpidos, el "frente industrial" centralizado en la capital de la Nación.

Muy lejos de ese frente se desarrolla una de las industrias más antiguas del país, la vitivinicultura. Sobre la base de cepas europeas, actualmente casi todas de origen francés, los vinos de la provincia de Mendoza y San Juan, cubren las necesidades de la Argentina y se exportan a países de América del Sur, del Norte, del norte europeo, etc... Menos conocidos internacionalmente, los vinos de la provincia de Salta son excelentes.

La red ferroviaria tiene actualmente alrededor de 41.000 km. de longitud, y es la mayor de América Latina. La red de rutas nacionales alcanza los 45.000 km., y la de rutas provinciales, 96.000.

Villa Carlos PAZ, zona turística.
Carlos PAZ, cité touristique.
Carlos PAZ, tourist area.
Vivenda Carlos PAZ, centro turístico.

ECONOMIE ET RESSOURCES

On a pendant longtemps appelé l'Argentine "Grenier du Monde". Aujourd'hui, avec l'existence de nombreux bons producteurs, dans le monde entier, il n'est plus aucun pays dont on puisse dire qu'il soit en réalité, le grenier du monde.

Cependant, la production de base de l'Argentine continue à être celle du blé et du maïs d'une part, et l'élevage de bovins d'autre part.

La pampa humide, par opposition à la pampa sèche, qui occupe d'autres régions du pays est la zone appropriée aux deux productions, avec la zone tourmentée de la province d'Entre Rios. Il y a lieu d'ajouter le lin, le tournesol, les plantes fourragères et l'orge.

Dans les provinces du Nord-Est on cultive le riz, le thé et le tabac. La zone du chaco est grosse productrice de coton. Dans la zone de Tucuman la canne à sucre continue à être la plus grande ressource de la terre, elle est industrialisée dans des usines modernes, appelées "ingenios". Le tabac est propre aux provinces de Salta et de Jujuy.

Entre la pampa et le plateau de Patagonie s'étend la vallée du Rio Negro, où la production de fruits est très abondante. Elle est aussi très importante dans la zone de l'embouchure de rio Parana, à quelques kilomètres de Buenos Aires (Delta du Parana) et au sud de la province de Mendoza.

L'exploitation du bois se situe spécialement dans la large frange qui, d'Ouest en Est, va de la province de Salta à celles de Formosa et de Misiones. On exploite le "quebracho", bois dur et résistant, utilisé depuis le XIXème siècle pour la fabrication de traverses pour les voies de chemin de fer et l'extraction du tanin.

L'élevage bovin est destiné bien plus à la production de viande et de cuir, qu'à la production laitière. Le développement de la production laitière est significatif mais on ne peut absolument pas le comparer avec la richesse traditionnelle de la pampa que représente la viande et le cuir, déjà bien connue depuis le XVIIème siècle. Il est certain que les temps des animaux "cimarrones" ou sauvages sont bien lointains. A l'époque de la vice-royauté et même plus tard, les bovins de la pampa se reproduisaient librement; on n'en connaissait pas le nombre exact et ils étaient en liberté dans des champs non clos sur des kilomètres et des kilomètres. Il y avait également des chevaux et des chiens "cimarrones", ces derniers avaient le comportement de véritables loups.

L'élevage bovin se fait aujourd'hui suivant des méthodes scientifiques, mais toujours sous forme intensive étant donné l'abondance de terres. Le cheval n'est plus aujourd'hui un moyen primordial de travail ou de transport mais on l'utilise encore à ces deux fins. L'élevage systématique en est suivi, en vue des besoins des hippodromes et pour la pratique des sports comme le polo, ou le pato, ou simplement l'équitation. En Amérique Latine on ne consomme pas de viande de cheval.

La Patagonie est la région par excellence de l'élevage ovin et par conséquent le plus grand centre producteur de laine du pays. La chèvre, en quantité moindre, se trouve dans la sierra des provinces de Cordoba et San Luis ainsi que dans la zone montagneuse du Nord-Ouest.

Les porcs et volailles se trouvent dans les provinces de Buenos Aires, Santa Fé et Entre Rios. La pêche est abondante et variée étant donné l'extension du littoral maritime mais elle existe aussi le long du rio Parana, dans les lacs naturels du Sud et les lacs artificiels de Cordoba.

De récentes études ont tendance à intensifier l'exploitation du fer et du cuivre, et en moindre quantité, du zinc, du tungstène, du manganèse et de l'étain. Les seuls gisements de fer en pleine exploitation se trouvent dans la province de Jujuy.

La Direction des "Fabrications Militaires" a été à l'origine de la sidérurgie argentine, grâce à la construction et exploitation des hauts fourneaux de Zapla (Jujuy et San Nicolas).

Les richesses minérales du pays, d'après certains calculs peuvent être assez considérables; cependant, l'infrastructure nécessaire pour l'exploitation de ces richesses n'a pas encore pu être mise en route.

En ce qui concerne les métaux non ferreux et les minéraux utilisables, on peut citer le sel gemme, l'argile, le plâtre, le marbre et la pierre à chaux, etc. "Notre pays - dit un géologue - possède les réserves de borax les plus importantes du monde, mais elles ne sont pas exploitées intensivement. Les gisements se situent en pleine "puna jujeña".

Les réserves d'uranium dépassent 15.000 tonnes. La centrale atomique d'Atucha (Province de Buenos Aires) utilise l'uranium naturel. L'entreprise nationale "Yacimientos Carboniferos Fiscales" exploite les gisements de charbon de Rio Turbio (Province de Santa Cruz), et se charge aussi de son transport.

"Yacimientos Petroliferos Fiscales" règle la politique pétrolière de la nation. Les réserves actuellement en cours d'exploitation suffiront pour les dix années à venir. On poursuit donc les recherches de nouvelles réserves dont on est sûr de l'existence. L'Argentine importe 10% du pétrole qu'elle consomme.

Longtemps retardée dans un pays considéré surtout comme producteur de matières premières, l'industrie argentine a commencé à avoir une importance seulement après la Seconde Guerre Mondiale.

Actuellement, l'industrie automobile et celle des chemins de fer, la métallurgie, celle des appareils ménagers, de l'alimentation, du textile, du cuir et de l'industrie chimique, sont en développement constant.

L'écrivain Ezequiel Martinez Estrada a appelé Buenos Aires "La tête de Goliat", en raison de la concentration excessive de la population et des activités par rapport au reste du pays. Du point de vue industriel, il se passe la même chose. De Rosario à la Plata (Capitale de la province de Buenos Aires) s'étend sur 350 kilomètres, sans interruption, le "front industriel" centralisé dans la capitale de la République.

Loin de ce centre se développe l'une des plus anciennes industries du pays, la viti-viniculture. Sur un fond de cépages européens, actuellement presque tous d'origine française, les vins des provinces de Mendoza et de San Juan couvrent les besoins de l'Argentine et sont exportés vers les pays de l'Amérique du Sud, du Nord et le Nord de l'Europe. Moins connus sur le plan international, les vins de la province de Salta sont aussi excellents.

Le réseau de chemin de fer est actuellement d'environ 41.000 km; il est le plus long de l'Amérique Latine. Le réseau de routes nationales atteint 45.000 km et celui des routes de provinces 96.000 km.

ECONOMY AND RESOURCES

For a long time Argentina has been known as the "Granary of the World". Today there are so many major producers of cereals throughout the world that no one country can truly be said to justify the title.

And yet, the staple production of Argentina continues to be that of wheat and maize on the one hand and beef on the other.

The wet pampas, as opposed to the dry pampas which occupy other regions of the country, is ideal for both types of production, as is also the uneven land of the Province of Entre Rios. To the crops mentioned above should be added linseed, sunflower, fodder plants and barley.

In the north-eastern provinces, rice, tea and tobacco are grown. The Chaco area is a major cotton producer, while in the Tucuman area sugar cane continues to be the staple resource. It is processed in modern factories, known as "ingenios". Tobacco is the special crop of the Salta and Jujuy provinces.

Between the pampas and the Patagonian plateau there stretches the valley of the Rio Negro, where there is an abundant production of fruit, as is also the case in the area of the estuary of the Rio Parana a few miles from Buenos Aires (Parana Delta) and in the southern part of Mendoza.

Most of the timber industry is located in the wide strip running from West to East between the province of Salta and those of Formosa and Misiones. The chief timber concerned is "quebracho" - a hard wood used since the nineteenth century for making railway sleepers and for tannin extraction.

Cattle is raised more with an eye to the production of meat and leather than to milk production. There is a significant increase in dairy produce but it cannot be compared with the extent of beef and leather production, which was already famous as far back as the seventeenth century. There is no doubt that the days of the "cimarrones", or wild cattle, are long past. At the time of the Viceroyalty and even later, the cattle of the pampas were free to roam at will. They fended for themselves, and their exact number was not known, since they were at liberty on ranges extending for hundreds of miles. There were also wild horses and dogs; the latter behaved exactly like wolves.

Although cattle are now raised according to scientific methods, cattle farming still takes an expansive form owing to the abundance of land. The horse, though no longer a basic means of providing energy and transport, is still used for both these purposes. Horses are also systematically bred for racing, sports such as polo and pato, or merely for riding. In Latin America, horse meat is not eaten.

Patagonia is the ideal region for sheep raising and consequently the largest wool-producing centre of the country. Goats, though in smaller numbers, are to be found in the Sierra of Cordoba and San Luis provinces and in the mountainous region of the North-West.

Pigs and poultry are found in the provinces of Buenos Aires, Santa Fé and Entre Rios. There is abundance and variety of fishing in view of the length of sea shore, but there are also fish throughout the length of the Rio Parana, in the natural lakes of the South and in the artificial lakes of Cordoba.

As a result of recent surveys, there is a tendency to increase mining of iron and copper, and to a lesser extent zinc, tungsten, manganese and tin. The only iron mines being fully exploited are those in the Province of Jujuy.

The Military Manufacturing Directorate was at the origin of Argentinian iron and steel industry, thanks to the building and operation of the blast furnaces at Zapla (Jujuy) and Somisa at San Nicolas.

According to certain estimates, the mineral wealth of the country may be considerable, but the necessary infrastructure for exploiting it has not yet been created.

So far as non-ferrous metals and other deposits are concerned, there are rock salt, clay, plaster, marble, limestone, etc.. "The country", stated a geologist, "has the largest reserves of borax in the world, but is not making full use of them. Deposits are to be found in 'puna jujeña' and are worked by private firms".

Reserves of uranium exceed 15,000 tons. The Atucha atomic power station in Buenos Aires Province uses natural uranium. The national "Yacimientos Carboniferos Fiscales" extracts coal from the mines at Rio Turbio (Santa Cruz Province) and also deals with its transport.

"Yacimientos Petroliferos Fiscales" lays down the national petroleum policy. Reserves now being worked will last for the next ten years. Prospecting for further resources, the existence of which has been established, is therefore being carried on. Argentina imports 10% of the oil she consumes.

Industry, which suffered a late start in a country which was mainly considered as a producer of raw materials, began to assume importance only after the second World War.

At present, the automobile industry, the railways, metallurgy, the production of household appliances, the food industry, textiles, leather and the chemical industry are all undergoing constant development.

The writer Ezequiel Martinez Estrada called Buenos Aires "the head of Goliath", owing to the excessive concentration of population and activity there as compared with the rest of the country. Industrially, the same situation arises. From Rosario to La Plata (the capital of Buenos Aires Province), the "industrial front", centralized in the capital of the Republic, extends over an unbroken distance of 220 miles.

Far from this centre, one of the oldest industries of the country - wine production - is being developed. On a basis of European vines, mostly of French origin, the wines of Mendoza and San Juan Provinces are sufficient to meet requirements in the Argentine and are also exported to various countries of North and South America and northern Europe. Though less well known internationally, the wines of Salta Province, too, are excellent.

The rail network at present amounts to about 41,000 kilometres (25,000 miles) and is the most extensive in Latin America. There are 45,000 kilometres (28,000 miles) of national highways and 96,000 kilometres (60,000 miles) or provincial roads.

ECONOMIA

Durante muito tempo chamou-se à Argentina o "Celeiro do Mundo". Hoje, a existência de óptimos produtores faz com que não exista nenhum país que seja em realidade o celeiro do mundo.

Não obstante, a produção básica argentina continua a ser o trigo e o milho por um lado, e a criação de gado vacum por outro.

A pampa "húmida" - por oposição à "pampa sêca", que ocupa outras regiões do país - é a zona mais adequada para estas produções, junto à planície ondulada da província de Entre-Rios. Deve agregar-se o linho, o girassol, as plantas para forragem, a cevada.

Nas províncias do nordeste cultiva-se arroz, chá e tabaco. A do Chaco é um importante productor de algodão. Na zona de Tucuma continua-se o tradicional cultivo da cana de açúcar, o recurso fundamental, industrializado em modernos estabelecimentos chamados engenhos. O tabaco é própio das províncias de Salta e Jujuy.

Entre a pampa e a meseta patagónica estende-se o vale do rio Negro, onde é muito abundante a produção frutífera. Também o é na desembocadura do Rio Paraná a poucos quilómetros de Buenos Aires (delta do Paraná) e ao Sul da província de Mendonça.

A exploração madeireira faz-se sobretudo na larga franja que de oeste a este vai desde a província de Salta à de Formosa e de Misiones. É o caso do quebracho, de madeira dura e resistente, usado desde o século XIX para a construção de "dormentes" nas linhas férrias e para a estração do tanino.

A criação de gado vacum é sobretudo destinada à obtenção de carne e couro, em maior proporção que a indústria leiteira. O desenvolvimento desta é significativo, mas não pode comparar-se com a tradicional riqueza da pampa, a carne e o couro vacum, que já eram bem conhecidas no século XVII. Por certo, está longe o tempo do gado chimarrão ou selvagem. Na época do Vice-Reino e ainda muito mais tarde, o gado vacum da pampa reproduzia-se livremente, não se conhecia o seu número exacto, movimentando-se em campos não cercados de centenas de quilómetros. Existiam também cavalos e cães chimarrões, estes últimos agindo como verdadeiros lôbos.

A criação de gado faz-se hoje por métodos científicos, mas sempre de forma ampla, dada a abundância do terreno. O cavalo já não é mais um elemento primordial de trabalho ou de transporte, não obstante, é utilizado ainda em ambos os sentidos. Sua criação sistemática continua sendo feita visando as corridas nos hipódromos e na prática de desportos como o pólo, o pato, ou simplesmente a equitação. Não existe na América Latina o costume de consumir carne de cavalo na alimentação.

A Patagónia é a região por excelência de criação de gado ovino e por isso o maior centro productor de lã do país. A cabra, em quantidades muito menores, encontra-se nas serras das províncias de Córdoba e San Luis, e na zona montanhosa do noroeste.

Os suínos e os galináceos encontram-se sobretudo nas províncias de Buenos Aires, Santa Fé e Entre Rios. A pesca é abundante e variada no enorme litoral marítimo, mas também no rio Paraná durante centenas de quilómetros, nos lagos do sul e nos lagos artificiais de Córdoba.

Recentes estudos tendem a intensificar a exploração do ferro e cobre e, em menor quantidade zinco, tungsténio, manganês e estanho. Os únicos jazigos de ferro em plena exploração encontram-se na província de Jujuy. A Direção de Fabricações Militares deu origem à siderurgia argentina mediante a construção e exploração dos altos fornos de Zapla (Jujuy e San Nicolas).

As riquezas minerais do país existem e, segundo cálculos de estudiosos, podem ser bastante consideráveis. Nao obstante, a infra-estrutura necessária para o aproveitamento das ditas riquezas ainda não foi posta em marcha.

Quanto aos metais não ferrosos e rochas de aplicação, podem ser mencionadas o sal comum, argila, gêsso, mármores, pedras caliças, etc... "Nosso país - disse um investigador - tem a reserva de bórax mais importante da terra, mas não é explorada com intensidade. Os jazigos encontram-se em plena puna jujenha".

As reservas de urânio superam as quinze mil toneladas. A planta atómica de Atucha (província de Buenos Aires) utiliza o urânio natural. A empresa estatal "Yacimientos Carboníferos Fiscales" encarrega-se da exploração do carvao nos jazigos do Rio Turbio (província de Santa Cruz), e de seu transporte.

"Yacimientos Petrolíferos Fiscales" regula a política petrolífera da Nação. As reservas actualmente em exploração alcançariam uns dez anos mais. Se redobram, pois, as buscas de novas reservas, cuja existência é considerada segura. A Argentina importa 10% do petróleo que consome.

Estacionária durante muito tempo, por se tratar de um país productor de matérias primas, a indústria argentina começou a fazer-se notar após a II Guerra Mundial. Actualmente têm grande desenvolvimento a indústria automotriz e a ferroviária, metalúrgica, de artigos domésticos, alimentícia, têxtil, do couro, química, etc...

O ensaísta Ezequiel Martínez Estrada chamou Buenos Aires La cabeza de Goliat, por sua excessiva concentração populacional e actividades em relação ao resto do país. Do ponto de vista industrial ocorre o mesmo. De Rosário a La Plata (capital da província de Buenos Aires), estende-se ao longo de 350 quilómetros ininterruptos, a frente industrial centralizada na capital da Nação.

Muito longe desta frente desenvolve-se uma das indústrias mais antigas do país, a viticultura. Con base em cepas européias, actualmente quase tôdas de origem francesa, os vinhos das províncias de Mendonça e de San Juan cobrem as necessidades da Argentina e são exportados para paises da América do Sul, do Norte, do norte europeu, etc... Menos conhecidos internacionalmente, os vinhos da província de Salta são excelentes.

A rede ferroviária tem actualmente cerca de 41.000 km de linhas, e é a maior da América Latina. A rede de estradas nacionais atinge os 45.000 km e as estradas estaduais, 96.000.

Tras la meseta se extiende Córdoba, importante centro industrial argentino.
Sur le plateau s'étend la ville de Cordoba, important centre industriel de l'Argentine.
The city of Cordoba, an important Argentine industrial centre, spreads out over the plateau.
De tràs da meseta estende-se Cordoba, importante centro industrial argentino.

Iglesia Santa Catalina.
Eglise Santa Catalina.
Santa Catalina Church.
Igreja Santa Catalina.
➡

La pampa argentina, los magníficos ejemplares vacunos, ovino y caballar reconocidos en el mundo entero.

La Pampa Argentine et ses magnifiques spécimens de races bovine, ovine et équine, de réputation mondiale.

The Argentine Pampas and its magnificent specimens of cattle, horses and sheep, which enjoy a world-wide reputation.

A pampa argentina, mágnificos exemplares vacums, ovideos e cavalinos conhecidos no mundo inteiro.

DEPORTES

El argentino es un entusiasta espectador deportivo. El fútbol apasiona a la mayor parte de la población, que cuenta con enormes estadios para asistir a los encuentros. Al boxeo se ha dedicado un local gigantesco en el centro de Buenos Aires. El rugby y el basquet-ball reúnen públicos menos numerosos. Particular significación tienen el polo y el **pato**. Este es un antiguo ejercicio ecuestre criollo. En su forma actual, se utiliza una pelota ovoidal rodeada de agarraderas, que debe tomarse y arrojarse sin desmontar.

En el interior del país suelen practicarse aún las carreras **cuadreras**, de a dos caballos por vez y a lo largo de una **cuadra**, o sea aproximadamente cien metros. Son un resto de los entretenimientos **gauchos**, hoy desaparecidos.

SPORTS

L'Argentin est un spectateur enthousiaste des sports. Le football passionne la plus grande partie de la population. Il existe d'immenses stades. Pour la boxe, il existe aussi un local gigantesque à Buenos Aires. Rugby et basketball rassemblent un public un peu moins nombreux. Le polo occupe une place particulière. Le pato est un sport équestre ancien; dans sa forme actuelle on emploie une balle ovoïdale entourée de points d'accrochage que l'on doit attraper et lancer sans tomber de cheval.

A l'intérieur du pays, on pratique les courses "cuadreras" à deux chevaux sur une longueur de 100 m. C'est un reste des distractions des gauchos, aujourd'hui disparu.

SPORTS

The Argentinian is an enthousiastic sports watcher. Most of the population are mad about football, and matches are played in vast stadia. There is also a gigantic boxing hall in Buenos Aires. There are less followers of rugby and basketball. Polo and pato occupy a special position. Pato is a very old equestrian sport; in its present form, the player has to catch and throw an oval ball without falling off his horse.

In the interior, there are "cuadreras" - races with two horses over a distance of about 100 metres. It is a vestige from gaucho distractions which have now disappeared.

DESPORTE

O argentino é um entusiasta espectador desportivo. O futebol apaixona a maior parte da população, que conta com enormes estádios para assistir aos encontros. Ao boxe tem-se dedicado um local gigantesco no centro de Buenos Aires. O rugby e o basquetball reúnem públicos menos numerosos. Particular significação tem o pólo e o pato. Este é um antigo exercício equestre crioulo. Na sua forma actual, utiliza-se uma pelota ovoidal rodeada de agarradeiras, que deve tomar-se e lançar-se sem desmontar.

No interior do país práticam-se ainda as corridas cuadreras, de dois cavalos, ou seja aproximadamente cem metros. Sao um resto dos divertimentos gauchos, hoje desaparecidos.

Son apenas niños, y ya demuestran sus habilidades futbolisticas.
Ce sont encore des enfants et ils font déjà la démonstration de leur habileté au football.
Children again; this time, showing off their prowess at football.
Ainda sao crianças e jà mostram as suas proezas futobolísticas.

En las pistas heladas del sur argentino, se congregan deportistas de todo el mundo para la práctica del eskí, en las inmediaciones de San Carlos de Bariloche.

Sur les pistes gelées du Sud argentin, se rassemblent des amateurs de sport venus de tous les horizons pour pratiquer le ski, aux environs de San Carlos de Bariloche.

Near the town of San Carlos in the Bariloche, skiing enthusiasts from all over the country meet to practise their favourite sport on the frozen slopes of Southern Argentina.

Juntam-se desportistas do mundo inteiro para praticar esqui nas pistas geladas do sul argentino, nas redondezas de San Carlos de Bariloche.

FOLKLORE Y ARTESANIA (cocina criolla)

El folklore argentino es en su mayor parte de origen hispánico, con un aporte indígena directo reducido a la zona del noroeste. Su variedad es mayor que el de otros países latinoamericanos.

El instrumento popular por excelencia es la guitarra, en toda la extensión del país. En las provincias del litoral fluvial, especialmente Corrientes, se utiliza con frecuencia el acordeón a piano. La zona más rica en instrumentos populares es el noroeste, por estar vinculado con las culturas indígenas de Bolivia y Perú: diversos instrumentos de viento y de percusión alternan con la guitarra. Los más característicos son la **quena** —un tipo de flauta vertical— y el **charango**, guitarra pequeña hecha con el caparazón de un animal parecido al armadillo.

La mayor parte de la música folklórica argentina une el canto y la danza. Es coreográficamente muy agradable la **zamba**, propia de la región de montañas y **sierras** del centro y norte del país. La **baguala** —canto solo— es una de las pocas formas de origen indígena. De difícil entonación, se canta todavía en los valles y montañas del noroeste.

El folklore propiamente dicho, siguiendo un proceso común a todos los países del mundo, retrocede ante la música popular elaborada comercialmente. Como reacción ante dicho proceso han surgido numerosas **peñas** o clubes folklóricos, donde se baila y se canta periódicamente. La costumbre del canto espontáneo en reuniones sociales se conserva en muchos sitios del interior, en provincias como Salta, Tucumán o La Rioja.

El **tango**, palabra de discutida etimología, es característico de la ciudad de Buenos Aires: Surgido en los suburbios a fines del siglo pasado, evolucionó en diversas etapas. Actualmente asistimos a su período "de vanguardia", no bailable, representado por el talentoso Astor Piazzolla. La vitalidad del tango es permanente, y siempre se escucha en Argentina al legendario cantor Carlos Gardel, nacido en Francia.

Un aspecto valioso de la cultura popular argentina son las artesanías, muchas de ellas en vías de desaparición por su escasa rentabilidad para los productores. El Fondo Nacional de las Artes cumple una interesante obra para salvar esos testimonios tradicionales. Trabajos en cuero, en cuerno de vacuno y en plata, de la pampa. Cerámica indígena del noreste. Tejidos de lana, de vivos colores y combinaciones geométricas, en la Patagonia, los lagos del sur y el noroeste. Las tinturas son puramente vegetales.

El **poncho**, usado por indios y criollos en prácticamente todas las regiones del país, puede estar hecho de lana, alpaca o llama. Es una prenda característicamente argentina, que ha conocido en años recientes fortuna internacional gracias a la moda.

El típico producto de arte criollo blanco son los cueros trenzados de la llanura, y la platería de origen español. La casi desaparecida estirpe de los **trenzadores** pampeanos llevó a la perfección el arte de entretejer, con la sola ayuda de los dedos, finos hilos de cuero de vacuno preparado especialmente.

En cuanto al cincelado de la plata, tiene relación con una costumbre típica del Paraguay, el Uruguay y la Argentina: el **mate**. Con la **yerba mate** ('ilex paraguariensis') se hace una infusión de gusto particular, mucho más vegetal y fuerte que las infusiones habituales. Se la toma en un pequeño recipiente ovoidal —que también recibe el nombre de **mate**— y se la sorbe por medio de un tubo metálico de unos veinte centímetros, la **bombilla**. Mates y bombillas dieron lugar, desde el siglo XVIII, a una delicada artesanía en plata.

En la actualidad la cocina argentina se basa en platos y recetas internacionales. Aunque no tanto como lo hacía hasta hace varias docenas de años, el argentino medio consume mucha mayor cantidad de carne vacuna que de cualquier otro alimento, generalmente en forma de un simple biftec a la parrilla. El tradicional **asado** fue durante siglos la comida típica de la campaña, en particular la llanura. Se lo prepara aún en todo el país, como parte a veces de una celebración o una reunión de amigos. Además de trozos de carne de diversas partes de la vaca, ternero o vaquillona, el **asado** incluye: **achuras** —molleja, riñón, e intestinos del animal—; morcilla y chorizo criollo. Este es prácticamente idéntico a la salchicha de Toulouse, y no al chorizo tipo español, que en Argentina se utiliza en otros platos. En las provincias de la sierra y la montaña se hace preferentemente el **asado** con cordero o cabrito.

Se consumen también con frecuencia las **pastas** de origen italiano, debido a la gran cantidad de descendientes de genoveses, calabreses, sicilianos, etc., que hay en el país.

Los platos verdaderamente típicos pertenecen a las provincias mediterráneas: el **locro**, la **mazamorra** y la **humita**, que están hechos con maíz. No obstante, corresponde al **puchero** y a las **empanadas** una celebridad internacional comparable a la del **asado**. El **puchero** es de origen español (la palabra **puchero** significa "cacerola" en castellano) y tiene alguna semejanza con el pot-au-feu francés. En Argentina se lo prepara como un cocido de carne de vaca, zapallo, papas, batatas, médula de hueso, tocino, chorizo español, morcilla, etc. Era el plato característico de los tiempos anteriores a la Independencia (1816), cuando aún no habían llegado las modas europeas en materia de cocina.

La **empanada** es un redondel de masa relleno de carne picada, o bien de dulce, que se cierra sobre sí mismo en forma de semicírculo de unos diez centímetros de diámetro. Se las prepara al horno o fritas, según la región, y el relleno que acompaña a la carne también varía en cada una de las provincias que se especializan en dicho plato.

Existe una importante producción nacional de vinos y de cerveza. En algunas regiones se fabrican aguardientes diversos, de los cuales el más famoso es el de la provincia de Catamarca, hecho de uva.

FOLKLORE ET ARTISANAT

Le folklore argentin est principalement d'origine espagnole avec un apport indien qui se réduit uniquement dans la zone du Nord-Ouest. Ce folklore est plus varié que celui des autres pays de l'Amérique Latine.

L'instrument populaire par excellence est la guitare dans tout le pays. Dans les provinces du littoral fluvial, spécialement Corrientes, on utilise aussi l'accordéon à clavier. La zone la plus riche en instruments populaires est celle du Nord-Ouest, du fait qu'elle est en liaison avec les cultures indigènes de la Bolivie et du Pérou : différents instruments à vent et à percussion alternent avec la guitare. Les plus caractéristiques sont la "quena" sorte de flûte verticale, et le "charango" petite guitare faite d'une carapace d'animal, ressemblant à un tatou.

La musique folklorique argentine est faite dans sa plus grande partie de chants et de danses. Sur le plan de la chorégraphie, la zamba est très agréable. Elle est propre à la région montagneuse et aux sierras du centre et du nord. La "baguala", un chant, est une des rares formes musicales d'origine indienne. Avec des mélodies difficiles, on la chante encore dans les vallées et montagnes du Nord-Ouest.

Le folklore proprement dit, conformément à un développement commun à tous les pays du monde, recule devant la musique populaire commercialement élaborée. Pour réagir devant ce processus, on a fondé plusieurs "penas" ou clubs folkloriques où l'on danse et l'on chante régulièrement. La coutume de chanter spontanément dans des réunions de société est encore courante dans les provinces de l'intérieur comme Tucuman, Salta ou La Rioja.

Le tango, mot dont l'étymologie est discutée, est caractéristique de la ville de Buenos Aires. Le tango naquit à la fin du siècle dernier dans la périphérie, il a subi une évolution naturelle jusqu'à nos jours. On assiste, actuellement, à une période d'avant-garde du tango non dansé, représenté par Astor Piazzolla. La vitalité du tango demeure et on écoute toujours en Argentine le légendaire chanteur Carlos Gardel, né en France.

Un des aspects valables de la culture populaire argentine réside dans l'artisanat, dont certaines branches sont en voie de disparition par suite d'une rentabilité minime pour leur producteur. Le "Fonds National des Arts" poursuit une action en vue de sauver ces patrimoines artistiques; travaux du cuir, de la corne de bovin et de l'argent de la pampa; céramique indigène du Nord-Est, tissus de laine aux vives couleurs et aux combinaisons géométriques, en Patagonie, dans la région des lacs du Sud et du Nord-Ouest. Les teintures sont purement végétales.

Le "poncho", porté par les indiens et les criollos dans toutes les régions du pays, peut être fait de laine d'alpaga ou de lama. C'est un vêtement typiquement argentin qui a connu ces dernières années un succès international, grâce à la mode.

Le produit typique de l'art "criollo" est le cuir tressé de la vallée et l'argenterie d'origine espagnole. La catégorie, presque disparue, des tresseurs de la pampa était arrivée à la perfection dans le tressage à la main des fils de cuir de bœuf spécialement préparés. Quant à la ciselure de l'argenterie, elle a un rapport avec une coutume typique du Paraguay, de l'Uruguay, de l'Argentine : le "Maté" avec l'herbe de maté ("ilex par-guariensis"). On prépare une infusion d'un goût très particulier bien plus forte que des infusions habituelles. On la boit dans un petit récipient ovoïdal, que l'on nomme également maté, et on l'absorbe au moyen d'un tuyau métallique de 20 cm, la bombilla. Matés et bombillas ont donné lieu, depuis le XVIIème siècle, à un artisanat raffiné de l'argent.

Actuellement la cuisine argentine a pour base les plats et recettes internationaux. Bien qu'en quantité inférieure à ce qui se passait il y a quelques années, l'Argentine consomme bien plus de viande de bœuf que d'autres aliments; généralement en beefsteaks ou en grillades. La grillade traditionnelle "asado" a été le plat typique à la campagne, spécialement dans la plaine.

On la prépare toujours dans le pays tout entier et en particulier à l'occasion de fêtes et de réunions d'amis. Faite de diverses parties de bœuf ou du veau, l'asado comprend aussi des morceaux d'abats et des morceaux de "chorizo criollo" très semblable à la saucisse de Toulouse, et non au chorizo d'Espagne, qui en Argentine est employé dans d'autres plats typiques. Dans les régions de la montagne, on prépare de préférence l'asado avec de la viande d'agneau et de chevreau.

On consomme assez fréquemment des pâtes d'origine italienne et ce par suite de la grande quantité des descendants de gênois, calabrais, siciliens, etc, qui vivent dans le pays.

Les plats vraiment typiques viennent des provinces méditerranéennes, "el locro", la "mazamorra" et la "humita", qui sont préparés avec du maïs. Cependant le puchero et les empanadas ont atteint une réputation égale à celle de l'asado. Le puchero est d'origine espagnole (le mot puchero en espagnol veut dire casserole), et ressemble au pot-au-feu français. En Argentine, on le prépare comme un "bouilli" de viande de bœuf, de potiron, de pommes de terre, de patates douces, de moëlle, de lard, de chorizo espagnol, etc. Ce plat était typique avant l'indépendance (1816) quand la mode européenne en matière de cuisine n'avait pas franchi les océans.

La "empanada" est un rond de pâte, farci de viande hachée, ou garni de confiture, fermé sur lui-même, en forme de croissant de dix centimètres environ de diamètre. On le prépara au four, ou frit, suivant la région, et la farce que l'on ajoute à la viande hachée varie selon les régions.

Il y a en Argentine une importante production nationale de vins et de bières. Dans certaines régions on fabrique diverses eaux de vie, la plus renommée étant celle de Catamarca, à base de raisin.

En la provincia de Corrientes, el carnaval da paso al brillo y al lujo de vestimentas y ornamentaciones.

Dans la province de Corrientes, le carnaval est l'occasion de voir briller : costumes et ornementations de luxe.

Carnival is an occasion for seeing brilliant costumes and luxurious ornamentation in the Province of Corrientes.

Na provincia de Corrientes, o carnaval dá lugar ao brilho e luxo dos costumes e ornamentos.

FOLKLORE AND CRAFTSMANSHIP

Argentinian folklore is mainly of Spanish origin with an admixture of Indian sources, mainly in the North-West of the country. However, the folklore is more varied than it is in the remainder of Latin America.

The popular musical instrument throughout the country is the guitar. In the delta provinces, particularly Corrientes, the keyboard accordeon is also used. The area which is richest in musical instruments is that of the North-West, owing to the fact that there is a link with the native cultures of Bolivia and Peru. Here, there are a number of different percussion and wind instruments in addition to the guitar. The most characteristic of these are the "quena" (a sort of flute played vertically) and the "charango" (a small guitar made from the shell of an animal).

Argentinian traditional music mainly consists of songs and dances. Notable among the dances is the zamba, which originates from the mountain regions and the sierras of the centre and North of the country. The "baguala" - a sort of song - is one of the few musical forms of Indian origin. Its melodies are difficult, but it is still sung in the valleys and mountains of the North-West.

As in most other countries of the world, folklore proper is being replaced by commercially produced "pop" music. In order to combat this trend, a number of "penas" (folklore clubs) where songs and dances are regularly performed, have been founded. The custom of singing spontaneously at meetings is still common in the provinces of the interior such as Tucuman, Salta and La Roja.

The tango - a word the etymology of which is disputed - is characteristic of the town of Buenos Aires. The tango came into being at the end of the last century and has been subjected to a number of changes as time went by. Today, there is an avant-guarde period of the non-danced tango, prepresented by Astor Piazzolla. The vitality of the tango persists, and the legendary singer Carlos Gardel, born in France, is still heard in Argentina today.

One valid aspect of Argentinian culture is craftsmanship, though some of the crafts are disappearing owing to the fact that the craftsman can no longer earn a living. The "National Art Foundation" is engaged in a campaign to save this artisanal heritage - leatherworking, horn-carving and silversmith's work in the pampas, Indian ceramics in the North-East, woollen fabrics in vivid, natural-dye colours and geometrical patterns in Patagonia and the lake regions of the South and North-West.

The "poncho", worn by Indians and creoles in all parts of the country, can be made of wool of sheep, alpaca or lama. It is a typically Argentinian article of clothing which, over the past few years, has achieved international renown owing to changing fashions.

Typical products of creole art are the woven leather of the valley and the silversmith's work of Spanish origin.

The weavers of the pampas, who have now almost disappeared, had achieved perfection in weaving by hand threads of specially prepared oxhide; chiselled silverware, oddly enough, is related to a custom which is typical of Paraguay, Uruguay and Argentina - the "maté" with the "maté" herb (ilex paraguariensis). A herbal infusion with a special taste and much stronger than usual is prepared. This is drunk from a small ovoid recipient, which is also known as "maté", through a metal tube 20 centimetres long known as the "bombilla". Since the seventeenth century, both matés and bombillas have given rise to a highly refined silversmith's craft.

At present, Argentinian cooking is based on international dishes and recipes. Although the proportion is much less than a few years ago, Argentina consumes far more beef than any other commodity, usually in the form of beefsteaks and grills. "Asado", the traditional grill, was always the typical country dish, above all in the plains.

It is still cooked today throughout the country on the occasion of feast days and family reunions. "Asado", which consists of various cuts of beef and veal, also contains giblets and pieces of "chorizo criollo", much more like Toulouse sausage than Spanish chorizo which, in Argentina, is used in other characteristic dishes. In the mountain districts, the "chorizo" is usually made of mutton and goat meat.

Many dishes of Italian origin are also eaten, owing to the large number of descendants of Genoese, Calabrians and Sicilians who live in the country.

Typical dishes of Mediterranean countries - "el locro", "mazamorra" and "humita" - are made with maize. Meanwhile, puchero and emparadas have attained a reputation equal to that of asado. Puchero is of Spanish origin (the Spanish word "puchero" means a saucepan), and is rather like a French "pot-au-feu". In Argentina it is made like boiled beef, with potatoes, sweet potatoes, marrow, bacon, Spanish chorizo, etc.. This was the national dish before Independence (1816), when European cooking had not yet put in an appearance.

The "empanada" is a pie, containing minced meat or sweet stuffs, in the form of a crescent about four inches in diameter. According to the region it is either cooked in the oven or fried; the stuffing added to the minced meat also varies according to region.

Argentina has an extensive wine and beer production. In some regions various sorts of spirits are distilled - the most renowned being Catamarca, made from grapes.

FOLCLORE

O folclore argentino é, em sua maior parte, de origem hispanica, com um aporte indígena directo reduzido à zona do noroeste. Sua variedade é mais que a de outros países latinoamericanos.

O instrumento popular por excelência é a guitarra, em tôda a extensão do país. Nas províncias do litoral fluvial, especialmente Corrientes, utiliza-se com frequência o acordeão a piano. A zona mais rica em instrumentos populares é a do noroeste, por estar vinculado com as culturas indígenas da Bolívia e Perú: diversos instrumentos de sopro e percussão alternam com a guitarra. Os mais característicos são a quena - um tipo de flauta vertical - e o charango, guitarra pequena feita com o caparazão de um animal parecido com o armadilho.

A maior parte da música folclórica argentina une o canto e a dança. É coreográficamente muito agradável a zamba, própria da região montanhosa e serras do centro e norte do país. A baguala é uma das poucas formas de origem indígena. De dificil entonação, canta-se nos vales e montanhas do noroeste.

O folclore propriamente dito, seguindo um processo comum a todos os paises do mundo, retrocede ante a música popular elaborada comercialmente. Como reação diante de tal processo têm surgido numerosas peñas ou clubes folclóricos nas cidades argentinas, onde se dança e canta periódicamente. O costume do canto espontâneo em reuniões sociais conserva-se em muitas cidades do interior, em províncias como Salta, Tucuma ou La Rioja.

O tango, palavra de discutida etimologia, é característico da cidade de Buenos Aires: Surgido nos subúrbios a fins do século passado, evoluiu em diversas etapas. Actualmente assistimos a um período de "vanguarda", no bailado, representado pelo talentoso Astor Piazzola. A vitalidade do tango é permanente, e sempre se escuta na Argentina o legendário cantor Carlos Gardel, nascido na França.

Um aspecto valioso da cultura popular argentina são os artesanatos, muitos deles em vias de desaparecimento por sua escassa rentabilidade para os produtores. O Fundo Nacional das Artes cumpre uma interessante obra para salvar esses testemunhos tradicionais. Trabalhos em couro, chifre de vacum e prata, da pampa. Cerâmica indigena do noroeste. Tecidos de la, de vivas cores e combinações geométricas, na Patâgonia, os lagos do sul e noroeste. As tinturas sao puramente vegetais.

O poncho, usado por índios e crioulos em praticamente tôdas as regiões do país pode ser feito de la, alpaca ou lama. É uma prenda característicamente argentina, que tem conhecido nos últimos tempos fortuna internacional graças à moda.

O produto típico da arte crioula branca são os couros trançados da planície, e a prataria de origem espanhola. A quase estinta estirpe dos trencadores pampeanos levou à perfeição a arte de trançar, com a só ajuda dos dedos, fios finos de couro de vacum preparado especialmente.

Quanto ao cinzelado da prata, tem relação com um costume típico do Uruguai, do Paraguai e da Argentina: o mate.

A erva mate ("ilex paraguariensis") produz uma infusao de gosto particular, muitos mais vegetal e forte que as infusões habituais. Toma-se em pequeno recipiente ovoidal - que também recebe o nome de mate e suga-se por meio de um tubo metálico de uns vinte centímetros, a bombilha. Mates e bombilhas deram lugar, desde o século XVIII, a um delicado artesanato em prata.

A cozinha argentina actual baseia-se em pratos e receitas internacionais. No entanto, nao consumindo tanto como à algumas dezenas de anos, o argentino médio continua a alimentar-se sobretudo de carne de vaca, geralmente feita dum simples bife grelhado.

O tradicional assado foi, durante séculos a comida tipica do campo, sobretudo na planicie. Ainda é feito em todo o pais, fazendo parte duma celebraçao ou de uma reuniao de amigos. Além dos bocados de carne das vàrias partes da vaca ou da vitela, o assado é composto de: Tripas - miolos, rins, e intestinos do animal, morcela e choriço creoulo. E praticamente identica à salsicha de Toulouse e nao ao choriço espanhol, utilizado noutros pratos na Argentina. Nas provincias de serra e montanha, o assado é feito de preferencia com cordeiro ou cabrito. Também se comem muitas massas (pastas) de origem italiana devido aos numerosos descendentes genoveses, calabreses, sicilianos, etc, que vivem no pais. Sao as provincias mediterraneas que têm os pratos mais tipicos: o locro, a mazamorra, e a humita sao feitos com milho. No entanto o puchero é de origem espanhola (a palavra puchero significa caçarola em castelhano) e é parecido com o cozido francês (pot-au-feu). Na Argentina é preparado com carne de vaca cozida, abobora, papas, batatas, tutano, toucinho, choriço espanhol, morcela, etc. Era o prato tipico da época precedendo a Independência (1816) quando ainda nao tinha chegado a moda da cozinha europeia.

A empanada é um bola de massa recheado de carne picada ou de compota, coberto por um semicirculo duns dez centimetros de diametro. Prepara-se ao forno ou frita-se, segundo as regiões, e o recheio que acompanha a carne também varia duma provincia a outra, das que se especalazaram neste prato.

Hà uma grande produçao nacional de vinhos e de cerveja. Em certas regioes fabricam-se aguardentes, cuja mais famosa é a da provincia de Catamarca, feita de uva.

IGUAZU

Las imponentes Cataratas del Iguazu, en el límite con Brasil.
Les cataractes imposantes de Iguazu à la frontière du Brésil.
The imposing cataracts of Iguazu at the Brazilian frontier.
As imponenetes cataractas del Iguazu, na fronteira com o Brasil.

La pesca en el litoral argentino, sobre el río Parana. El dorado se lo conoce como Tigre del Río, por la fortaleza que demuestra cuando se pretende capturarlo.

La pêche sur le littoral argentin, sur le Rio Parana. Le "Dorado" est connu sous le nom de "Tigre du Rio" à cause de la force qu'il déploie lorsqu'on veut le capturer.

Fishing on the Rio Parana, near the Argentine seashore. The "Dorado" is known as the "Tiger of the Rio" on account of the strength it displays when hooked.

A pesca no litoral argentino, no rio Parana. A dourada é conhecida com o nome de Tigre do Rio, pela força que mostra quando a querem apanhar.

TUCUMAN

Las mesetas, con sus desolados paisajes, anuncian la majestuosidad de la Cordillera de los Andes.
Les plateaux, aux paysages désolés, annoncent la majesté de la Cordillère des Andes.
The desolate countryside of the plateaux gives a forewarning of the majesty of the Andean Cordillera.
Com as suas paisagens desoladas as mesetas anunciam a majestuosa cordilheira dos Andes.

La zona del Altiplano, el norte argentino en el límite con Bolivia.
La zone du Haut Plateau, dans le Nord du pays à la frontière de Bolivie.
The high plateau zone in the northern part of the country, near the Bolivian frontier.
A zona do Altiplano, ao norte, na fronteira com a Bolivia.

JUJUY

En Jujuy, una iglesia muestra la influencia española.
A Jujuy, une église qui dénote l'influence espagnole.
A church at Jujuy which betrays Spanish influence.
Uma igreja mostra a influência espanhola em Jujuy.

Detalle ornamental del púlpito en una iglesia de Jujuy.
Détail ornemental de la chaire dans une église de Jujuy.
Detail of the decoration of a pulpit in a church at Jujuy.
Detalhe ornamental do pulpito numa igreja de Jujuy.

Iglesia de Uquia (Salta).
Eglise de Uquia (Salta).
Uquia Church (Salta).
Igreja da Uquia (Salta).

Motivo religioso realizado con hojas y flores silvestres.
Motif religieux réalisé avec des feuilles et des fleurs sylvestres.
Religious design made of leaves and woodland flowers.
Motivo religioso realizado com folhas e flores silvestres.

Secadero de tabaco.
Séchoir à tabac.
Tobacco drying.
Tabaco a enxugar.

Mujer norteña sirviendo el guiso, tradicional comida de la zona.

Une femme du Nord, apportant le "guiso", plat traditionnel de la région.

A woman of the North bringing the "guiso" - the traditional dish of the region.

Mulher nortenha servindo o "guiso", prato tradicional da zona.

PUCARA DE TILCARA
Pueblo indio de la época de los Incas.
Village indien du temps des Incas.
Indian village of the time of the Incas.
Aldeia de indios do tempo dos Incas.

El desierto de San Juan, paisajes extraños de difícil acceso para el hombre.
Le désert de San Juan, étranges paysages à l'accès difficile pour l'homme.
The San Juan desert - a strange landscape where it is difficult for human beings to penetrate.
Paisagem estranha de difícil acesso para o homem, o deserto de San Juan.

En el valle de la Luna, árbol petrificado sobre el desierto.
Dans la vallée de la Luna, arbre pétrifié dans le désert.
A petrified tree in the desert of the Luna Valley.
Arvore petrificada no deserto, vale de Luna.

La vida en un mercado coya, en la zona norteña argentina, donde la tradición impera por sobre el avance moderno.

La vie dans un marché coya, dans la partie septentrionale du pays où la tradition demeure au-dessus du progrès moderne.

Life in a Coya market in the northern part of the country, where tradition still resists the march of modern progress.

Na zone nortenha, a vida num mercado "coya" aonde a tradição supera o progresso.

Esqueleto y fósil sobre rocas en el desierto sanjuanino.

Squelette et fossile sur les roches dans le désert de San Juan.

A skeleton and a fossil on the rocks in the San Juan Desert.

Esqueleto e fóssil nas rochas do deserto de San Juan.

Mercado en el Altiplano.
Marché typique andin de l'extrême nord argentin.
Typical Andean market in the far North of Argentina.
Mercado típico do extremo norte da Argentina, nos Andes.

Extraño paisaje del Norte.
Etrange paysage du Nord.
Strange northern landscape.
Paisagem estranha do Norte.

Valle de la Luna, provincia de San Juan, una formación que anticipa los grandes macizos rocosos de la Cordillera de Los Andes, límite de esta provincia que alberga varios pasos hacia Chile.

La vallée de la Luna, province de San Juan, une formation qui laisse prévoir les grands massifs rocheux de la Cordillère des Andes, frontière de cette province qui comporte plusieurs passages vers le Chili.

The Luna Valley in San Juan Province, which provides a foretaste of the huge, rocky, mountain chains of the Cordillera of the Andes, forming the frontier of this province, through which a number of passes lead to Chile.

Vale de Luna, provincia de San Juan, formação anticipando os grandes maciços rochosos da Cordilheira dos Andes, limite desta província que comporta vários passos até ao Chile.

CULTURA

La mencionada ausencia de tradición indígena determinante, por un lado, y por el otro la presencia de tan diversas corrientes de nacionalidades, causan una compleja evolución cultural.

Literatura, artes plásticas, música, arte teatral y cinematográfica, toda la expresión argentina se orientó en principio sobre bases europeas. Se trataba de "vino nuevo en viejos odres". En efecto, la mayoría de los artistas y pensadores argentinos transmitió a su manera la realidad inmediata, la visión de un país real. Esta combinación de influencia y formas europeas más materiales sensibles e intelectuales argentinos generó polémicas, y creó un estilo inconfundible.

Este hecho no es solo el resultado de una actitud de deslumbramiento ante Europa: una gran parte de la población argentina es de origen europeo muy cercano.

La literatura ha sido particularmente productiva en la novela y el cuento, sin olvidar por eso a excelentes poetas y ensayistas. Se ha dicho que una línea conductora en la literatura argentina es la permanente interrogación acerca de cómo son, cómo actúan y hacia dónde van los argentinos.

Después de 1830 empieza a surgir una literatura local consciente de sus proyecciones, e imbuída de las "ideas generales" en boga en las universidades europeas de entonces. La cultivaban jóvenes liberales y francófilos, opositores al gobierno de Rosas. Sarmiento, prosista recio y original, dejó 53 tomos de obras donde predomina el ensayo. Esteban Echeverría fue un intérprete apasionado de la realidad nacional, después de haberse formado en París. Vicente Fidel López escribió la primera Historia Argentina. José Mármol es autor de la novela histórica **Amalia**. Juan Bautista Alberdi fue sociólogo, jurista, ensayista, y colaboró con su obra de pensador a la definitiva organización nacional.

También durante el siglo pasado se produce un fenómeno singular: la poesía **gauchesca**. Sus autores, artistas cultos, imitan la métrica y el léxico de los **gauchos**. La más célebre de estas obras es **Martín Fierro** (1872) de José Hernández. Cuenta las desventuras de un **gaucho** desvalido ante un medio social corrompido y hostil. Ningún otro texto literario tuvo tanta popularidad durante tanto tiempo en la Argentina. Fue traducido a numerosos idiomas.

Varios escritores argentinos modernos han conocido la fama internacional: Jorge Luis Borges, creador de un mundo literario autosuficiente y originalísimo, gran poeta y cuentista. Julio Cortázar, renovador de la estructura novelística con obras tan decisivas como **Rayuela** o **Los Premios**. Ernesto Sábato, Manuel Mujica Láinez, Manuel Puig. Otros merecerían acceder a esa fama internacional: Ricardo Güiraldes, Leopoldo Marechal, Horacio Quiroga (uruguayo-argentino), Leopoldo Lugones, Ezequiel Martínez Estrada Porchia. En muchas universidades del mundo el estudio de los autores argentinos es permanente y entusiasta. Merece destacarse el cultivo del cuento fantástico, de gran calidad literaria en escritores como Eduardo Holmberg, Horacio Quiroga, Borges o Adolfo Bioy Casares.

El gusto por la lectura está muy arraigado en la Argentina, que cuenta con la Biblioteca Nacional, la Biblioteca del Congreso, la del Museo Mitre, y diversas bibliotecas provinciales y municipales. La producción editorial es constante. Existe una verdadera tradición de impresores de prestigio, además de numerosas revistas literarias del pasado y el presente. La más conocida de ellas, **Sur**, dirigida por Victoria Ocampo, fué durante decenas de años un símbolo de la vinculación cultural con Europa.

Los diarios **La Prensa** y **La Nación** figuran entre los mejores de lengua española. En el interior se publican **La Capital** de Rosario, **La Voz del Interior** de Córdoba, y muchos más.

El Museo Nacional de Bellas Artes, el de Arte Decorativo y diversas colecciones particulares ilustran aspectos de la actividad argentina en artes plásticas. Son mundialmente conocidos pintores como Raúl Soldi, Antonio Berni, Emilio Pettorutti, Héctor Basaldúa, Raquel Forner. La revista **Ver y estimar** (1948), dirigida por Jorge Romero Brest, hizo conocer valores argentinos y creó a su alrededor verdadera escuela de críticos.

A partir de 1950 empiezan a consagrarse internacionalmente los pintores "concretos", como Maldonado, Fernández Muro o Miguel Ocampo. Arden Quin fue uno de los promotores de la "forma libre". Señala el crítico Damián Bayón: "Hecho curioso, los rasgos característicos del movimiento de Buenos Aires —gobierno del sentimiento, racionalismo deliberadamente frío— (...) no tienen ninguna raíz latina (...) algunos artistas argentinos como Julio Le Parc o Francisco Sobrino, fundaron grupos y tendrán influencia a lo largo de sus carreras sobre otros artistas argentinos o, cosa más sorprendente, franceses".

La música culta se desarrolla tardía y lentamente, desde fines del siglo XIX: Julián Aguirre, Alberto Williams, y luego Constantino Gaito, Felipe Boero. Es la época de las influencias de Saint-Saëns, Massenet, y naturalmente los impresionistas de principios de siglo.

Hay una gran actividad en los diversos campos de la música contemporánea: Las obras de Roberto Caamaño, Pompeyo Camps, Roberto García Morillo, Jacobo Ficher, Hilda Dianda, son ejecutadas con frecuencia dentro del país y fuera de él. Alberto Ginastera ha hecho conocer sus óperas **Bomarzo** y **Don Rodrigo** en algunos de los teatros más importantes del mundo. La musicología ha dado figuras como Jorge D'Urbano.

La llamada "escuela argentina de piano" es muy estimada. Bruno Leonardo Gelber —"la excepción que no conforma ninguna regla", según un crítico francés—, el estupendo talento de Martha Argerich, Manuel Rego, Silvia Kersenbaum, lo prueban. El conjunto Camerata Bariloche ha recorrido el mundo dando conciertos. El director Mario Benzecry es ganador del concurso internacional Dimitri Mitropoulos. Los cantantes Carlos Cossutta, Gian Piero Mastromei, Elena Suliotis, nacieron o se formaron en la Argentina.

Astor Piazzolla ha empleado en el tango recursos contrapuntísticos y profundidad musical. Poeta y guitarrista, Atahualpa Yupanqui es un artista universal. Los públicos europeos y americanos ya se han familiarizado con dos cantantes populares argentinas: Mercedes Sosa y Susana Rinaldi.

La actividad teatral y cinematográfica es particularmente intensa. Son ejemplo de ello la extensa filmografía de Leopoldo Torre Nilsson, y realizadores como Sergio Renan, Leonardo Favio y otros.

El Teatro Colón es desde 1908 la más contínua y la más universal de las realidades artísticas argentinas. Su acústica es perfecta, y tiene capacidad para casi 4.000 espectadores. Dedicado a ópera, ballet y conciertos, en él han actuado los más grandes artistas mundiales de cada generación, y prácticamente sin excepciones. El Teatro Colón está presente en la literatura, en la historia y en todos los aspectos de la vida nacional. Ha sido desde su inauguración, motivo de interés y respeto para los viajeros de otras partes del mundo. Estas palabras de presentación de la Argentina se cerrarán pues con el homenaje al teatro que refleja uno de los mejores aspectos del país.

CULTURE

L'absence de tradition indigène déterminante, d'une part, la présence de courants de nationalités diverses, d'autre part, ont engendré une évolution culturelle complète.

Littérature, arts plastiques, théâtre, et cinéma, toute l'expression argentine a été axée au début sur des bases européennes. Il s'agissait de "vins nouveaux dans de vieux odres". En effet, la plupart des penseurs et artistes argentins ont transmis à leur facon une réalité immédiate, la vision d'un pays réel.

Ce mélange d'influence et de formes européennes ajouté à des matériaux intellectuels argentins, engendra des polémiques et créa un style qui ne peut pas se confondre avec d'autres.

Ce fait n'est pas uniquement le résultat d'une admiration de la culture européenne, mais on peut dire qu'il y a une sorte d'atavisme du fait des origines européennes de la population.

La littérature a été particulièrement productive dans les romans et les contes, sans oublier pour autant d'excellents poètes et des auteurs d'essais. On a dit qu'une ligne conductrice dans la littérature argentine est l'interrogation de toujours : qui sont les Argentins, comment vivent-ils et où sont-ils ?

Après 1830, apparaît une littérature locale imbue "d'idées générales" en vogue dans les universités européennes de l'époque. Elle est le fait des jeunes libéraux et francophiles, opposants au gouvernement de Rosas. Sarmiento, écrivain dur et original, a laissé cinquante trois tomes d'œuvres où domine l'essai. Esteban Echeverria fut un interprète passionné de la réalité nationale après avoir été formé à Paris. Vicente Fidel Lopez écrivit la première histoire argentine. José Marmol est l'auteur du roman historique "Amalia". Juan Bautista Alberdi, sociologue, juriste et auteur d'essais, collabora par son œuvre à l'organisation nationale définitive.

Au siècle dernier, également allait se produire un phénomène singulier : la poésie "gauchesca". Ses auteurs, artistes cultivés, imitent la syntaxe et le vocabulaire des gauchos. La plus célèbre de ces œuvres est "Martin Fierro" (1872) de José Hernandez. C'est l'histoire d'un gaucho accablé dans un milieu "social pourri" et hostile. Aucun autre texte littéraire n'a atteint autant de popularité pendant très longtemps en Argentine. Il a été traduit en plusieurs langues.

Plusieurs auteurs argentins modernes ont connu la renommée internationale : Jorge Luis Borges, créateur d'un monde littéraire qui lui était propre et très original, grand poète et conteur. Julio Cortazar, rénovateur des formes du roman avec des œuvres de caractères décisifs comme "Rayuela" ou "Los Premios", Ernesto Sabato, Manuel Mujica Lainez, Manuel Puig.

D'autres mériteraient d'accéder à cette réputation internationale : Ricardo Guiraldes, Leopoldo Marechal, Horacio Quiroga (Uruguay - argentin), Leopoldo Lugones, Ezequiel Martinez Estrada Porchia. Dans beaucoup d'universités du monde l'étude des auteurs argentins est constante et soulève un grand enthousiasme.

Il faut aussi signaler la recherche du conte fantastique qui est de grande qualité littéraire chez Edouardo Holmberg, Horacio Quiraga, Borges de Adolfo, Bioy Casares.

Le goût pour la lecture est très enraciné en Argentine, qui possède la Bibliothèque Nationale, la Bibliothèque du Congrès, celle du Musée Mitre et diverses bibliothèques de provinces et municipales. L'édition est florissante. Il existe une véritable tradition d'imprimeurs de prestige et de nombreuses revues littéraires du passé et d'actualité. La plus connue "Sur" dirigée par Victoria Ocampa, a été pendant des dizaines d'années le symbole des liens culturels avec l'Europe.

Les journaux "La Prensa" et "La Nacion" figurent parmi les meilleurs de langue espagnole. A l'intérieur du pays, "La Capital" est publiée à Rosario, et "La Voz del Interior" à Cordoba et bien d'autres.

Le Musée National des Beaux Arts, celui d'art décoratif et diverses collections appartenant à des particuliers, montrent un aspect de l'activité argentine en matière d'arts plastiques. Des peintres comme Raoul Soldi, Antonio Nerni, Emilio Pettorutti, Hector Basaldua, Raquel Forner ont une renommée mondiale. La revue "Ver y estimar" (1948), dirigée par Jorge Romero Brest, a fait connaître les valeurs argentines et créé autour d'elle une véritable école de critiques.

A partir de 1950, les peintres, "concrets" comme Maldonado, Fernandez Muro ou Miguel Ocampo commencent à être connus mondialement. Arden Quin fut l'un des promoteurs de la "Forme libre". Le critique Damian Bayon signale, fait curieux, les traits caractéristiques du mouvement de Buenos Aires - "gobierno del sentimiento, racionalismo deliberadamente frío" (ce qui pourrait se traduire par maître de ses sentiments, racionalisme austère) - n'ont aucune racine latine. Certains artistes argentins comme Julio Le Parc ou Francisco Sobrino, fondèrent des groupes et auront une influence au cours de leur carrière sur d'autres artistes argentins ou chose très étonnante, français.

La musique de culture se développe lentement, depuis la fin du XIXème siècle. Julian Aguirre, Alberto Williams et plus tard Constantino Gaito, Felipe Boero. C'est l'époque de l'influence de Saint-Saëns, Massenet et naturellement les impressionistes du début du siècle.

Il y a une grande activité dans les divers domaines de la musique contemporaine : les œuvres de Roberto Caamano, Pompeyo Camps, Roberto Garcia Morillo, Jacobo Ficher, Hilda Dianda, sont jouées fréquemment dans le pays et à l'étranger. Alberto Ginaltera a fait connaître ses opéras "Bomarzo et Don Rodrigo" dans certains théâtres les plus connus du monde. Jorge d'Urbano est un des musicologues les plus connus à l'échelon mondial.

La célèbre "Escuela argentina de piano" est très appréciée. Bruno Leonardo Gelber - "l'exception qui ne confirme aucune règle" selon un critique français -, le magnifique talent de Marthe Argerich, Manuel Rego, Silvia Kersenbaum, le prouvent. Le groupe "Camerata Bariloche" a fait le tour du monde en donnant des concerts. Le directeur Mario Benzecry a gagné le concours international Dimitri Mitropoulos.

Les chanteurs Carlos Cossuta, Gian Piero Mastromei, Elena Suliotis, sont nés et ont été formés en Argentine.

Astor Piazzolla a dans le tango utilisé les ressources du contrepoint et d'une profonde musicalité. Poète et guitariste, Atahualpa Yupanqui est un artiste universel. Les publics européens et américains sont déjà familiarisés avec deux chanteuses populaires argentines : Mercedes Sosa et Susana Rinaldi.

L'activité théâtrale et cinématographique est particulièrement intense. Il n'en faut pour exemple, que la cinématographie très importante de Leopoldo Torre Nilsson et les réalisations de Sergio Renan, Leonardo Favio et autres.

Le théâtre Colon est, depuis 1908, la réalité artistique la plus permanente. Son acoustique est parfaite et il peut recevoir quatre mille spectateurs. Théâtre pour l'opéra, ballet et concerts. il a accueilli les plus grands artistes mondiaux de chaque génération et, pratiquement sans exception. Le théâtre Colon est dans la littérature, l'histoire et dans tous les aspects de la vie nationale. Depuis son inauguration, il a été digne d'intérêt et de respect pour les visiteurs du monde entier. Voilà la meilleure conclusion à cette courte présentation de l'Argentine.

THE ARTS

The absence of any decisive native tradition and the presence of widely varying national influences resulted in a "self-contained" cultural evolution.

Literature, the plastic arts, the theatre and the cinema - in fact the entire Argentinian cultural expression - were founded at the start on European models. It was a case of "new wine in old bottles", and the majority of Argentinian philosophers and artists merely expressed in their own way an immediate reality - their vision of an actual country.

This mixture of European influence and forms added to Argentinian intellectual material, resulted in the creation of a style not to be confused with any other.

This was not merely the result of being dazzled by Europe, for the great majority of Argentinians were very close to their European origins.

Literature was particularly proliferous in novels and short stories, to say nothing of excellent poems and essays. It has been said that the leitmotif of Argentinian literature was the eternal question: "How do Argentinians live and who are they?".

After 1830 there appeared a local literature imbued with "general ideas" in vogue in the European universities of the period. This was the work of young, Francophile liberals opposed to the Government of Rosas. Sarmiento, a severe but original writer, has left fifty three volumes, mainly of essays. Esteban Echeverria was an impassioned interpreter of national life, who received his education in Paris. Vincente Fidel Lopez wrote the first history of Argentina. José Marmol was the author of the historical novel, "Amalia". Juan Bautista Alberdi, the sociologist, jurist and essayist, helped to create the permanent organization of the state.

During the last century, a further singular phenomenon occurred - the creation of "gauchesca" poetry. The authors responsible, who were cultured men of letters, immitated the metre and language of the gauchos. The most famous of these "gauchescas" is "Martin Fierro" by José Hernandez (1872). It is the story of a gaucho oppresed by a sordid, hostile social environment. No other literary work had attained such popularity in Argentina for a very long time. It has been translated into several languages.

A number of modern Argentinian writers have achieved international renown, such as Jorge Luis Borges, the creator of a self-sufficient and extremely original literary world, and a great poet and story-teller, Julio Cortazar, who revived novel forms with decisively drawn characters such as "Rayuela" and "Los Premios", Ernesto Sabato, Manuel Mujica Lainez and Manuel Puig.

There are others who also deserve to achieve such an international reputation: Ricardo Guiraldes, Leopoldo Marechal, Horacio Quiroga (Uruguay and Argentina), Leopoldo Lugones, Ezequiel Martines Estrada Porchia. Argentinian authors are enthusiastically studied in many universities throughout the world.

It should also be noted that many talented authors such as Edouardo Holmberg, Horacio Quiraga, Borges de Adolfo and Bioy Casares, are writing imaginative stories of high literary quality.

The Argentinians are a great people for reading. In addition to the National Library, there is that of Congress, that of the Mitre Museum and a number of provincial and municipal libraries. Books are constantly being published. There is an authentic tradition of fine-quality printing and a large number of literary reviews dealing with classical and modern literature. The best known - "Sur" directed by Victoria Ocampo - was for decades the symbol of cultural links with Europe.

The periodicals "La Prenza" and "La Nacion" are among the best in the Spanish language. In the interior of the country, "La Capital" is published at Rosario and "La Voz del Interior" at Cordoba. There are many others.

The National Fine Arts Museum, the Decorative Arts Museum and various collections in private hands give some idea of Argentinian achievements in the plastic arts. Painters such as Raul Soldi, Antonio Berni, Emilio Pettorutti, Hector Basaldua and Raquel Forner have achieved world-wide renown. The review "Ver y estimar" (1948) directed by Jorge Romero Brest, has made Argentinian artistic values known and assembled a real school of critics around it.

As from 1950, "concrete" painters such as Maldonado, Fernandez Muro and Miguel Ocampo began to be known internationally. Arden Quin was one of the protagonists of "Free form". The critic Damian Bayon pointed to a curious fact - that the characteristic features of the Buenos Aires

Movement - sentiment kept well under control, a deliberately cold rationalism at well below zero - had nothing to do with its Latin roots. Some Argentinian artists such as Julio Le Parc and Francisco Sobrino founded groups and, during their careers, influenced other Argentinian artists and even - astonishingly enough - French ones.

There has been a gradual development of the musical art since the end of the nineteenth century, with Julian Aguirre, Alberto Williams and, at a later date, Constantino Gaito and Felipe Boero. This was the period of Saint-Saens, Massenet and, of course, the impressionists of the turn of the century.

There is much activity in the various fields of contemporary music, and the works of Roberto Caamano, Pompeyo Camps, Roberto Garcia Morillo, Jacobo Fischer and Hilda Dianda are often performed both in the country and abroad. The Operas of Alberto Ginastera - "Bomarzo" and "Don Rodrigo" - are known in some of the most famous theatres of the world. In musicology there are figures such as Jorge d'Urbano.

The famous "Escuela argentina de piano" is much appreciated, as is proved by Bruno Leonardo Gelber - "The exception which confirms no rule at all" according to a French critic - and the magnificent talent of Martha Argerich, Manuel Rego and Silvia Kersenbaum. The "Camerata Bariloche" Group has made a concert tour of the world. Mario Benzecry, the conductor, has won the international Dimitri Mitropoulos competition.

The singers Carlos Cossuta, Gian Piero Mastromei and Elena Sulviotis were born and trained in Argentine.

In the tango, Astor Piazzolla has used the resources of counterpoint and a profound musicality. Atahualpa Yupanqui, poet and guitarist, is an artist of world-wide fame. The European and American publics are already familiar with two Argentinian "pop" singers - Mercedes Sosa and Susana Rinaldi.

Activity is particularly intense in the world of the theatre and the cinema, as can be judged from the extensive film productions of Leopoldo Torre Nilsson, Sergio Renan, Leonardo Favio and others.

The Colon Theatre has been the most continuous of artistic achievements ever since 1908. Its accoustics are perfect and it can seat four thousand spectators. Operas, ballet and concerts are given, and the greatest artists of world repute of every generation have performed there, almost without exception. The Colon Theatre is part of the literature and history of the country and pervades all spheres of life. Since it was opened, it has earned the interest and respect of travellers throughout the world. These few words of introduction to Argentina, therefore, conclude with an expression of homage to the theatre which reflects the finest aspects of the country.

CULTURA

A mencionada ausência de tradição indígena determinante, por um lado, e por outro a presença de tão diversificadas correntes de nacionalidade, criaram uma complexa evolução cultural.

Literatura, artes plásticas, música, arte teatral e cinematográfica, tôda a expressao argentina se orientou em princípio sobre bases européias. Tratava-se de "vinho novo em velhos odres". Com efeito, a maioria dos artistas e pensadores argentinos transmitiu à sua maneira a realidade imediata, a visão de um país real. Esta combinação de influência e formas européias mais materiais sensíveis e intelectuais argentinas gerou polémicas, e criou um estilo inconfudível.

Este facto não só é o resultado de uma atitude de deslumbramento ante a Europa: uma grande parte da população argentina é de origem européia muito próxima.

A Literatura produz-se particularmente na novela e no conto, sem esquecer por isso excelentes poetas e ensaístas. Tem-se dito que uma linha de conduta na literatura argentina é a permanente interrogação àcerca de como são, como actuam e até onde vão os argentinos.

Após 1830 começa a surgir uma literatura local consciente de suas próprias projeções, e imbuida dos "idéais gerais" em voga nas universidades européias de hoje. Feita por jovens liberais e francófilos, opositores ao governo de Rosas. Sarmiento, prosador acentuado e original, deixou 53 tomos de obras onde predomina o ensaio. Esteban Echeverría foi um intérprete apaixonado da realidade nacional; depois de ter-se formado em Paris. Vicente Fidel López escreveu a primeira História Argentina. José Mármol é autor da novela histórica Amalia. Juan Bautista Alberdi foi sociólogo, jurista, ensaísta e colaborou com sua obra de pensador à definitiva organização nacional.

É também durante o século passado que se produz um fenómeno singular: a poesia gauchesca. Seus autores, artistas cultos, imitam a métrica e o léxico dos gauchos. A mais célebre destas obras é Martín Fierro (1872) de José Hernandez. Conta as desventuras de um gaucho menosprezado perante um meio social corrompido e hostil. Nenhum outro texto literário teve tanta popularidade durante tanto tempo na Argentina. Foi traduzido em numerosos idiomas.

Vários escritores argentinos modernos têm conhecido a fama internacional: Jorge Luis Borges, criador de um mundo literário auto-suficiente e originalíssimo, grande poeta e contista; Julio Cortázar, renovador da estrutura novelística com obras tão decisivas como Rayuela ou Los Premios. Ernesto Sábato, Manuel Mujica Láinez, Manuel Puig. Outros mereciam aceder a essa fama internacional: Ricardo Güiraldes, Leopoldo Marechal, Horacio Quiroga (uruguayo-argentino), Leopoldo Lugones, Ezequiel Martínez Estrada Porchia. Em muitas universidades do mundo o estudo dos autores argentinos é permanente e entusiasta. Merece destacar-se o cultivo do conto fantástico, de grande qualidade literária em escritores como Eduardo Holmberg, Horácio Quiroga, Borges ou Adolfo Bioy Casares.

O gosto pela leitura está muito arraigado na Argentina, que conta com a Biblioteca Nacional, a Biblioteca do Congresso, a do Museu Mitre, e diversas bibliotecas estaduais e municipais. A produção editorial é constante. Existe uma verdadeira tradição de impressores de prestígio, ademais de numerosas revistas literárias do passado e presente. A mais conhecida delas, Sur, dirigida por Victoria Ocampo, foi durante dezenas de anos um símbolo da admiração pela Europa.

Os diários La Prensa e La Nação figuram entre os melhores de língua espanhola. No interior publicam-se La Capital de Rosário, La Voz del Interior de Córdoba, e muitos mais.

O museu Nacional de Belas Artes, e de Arte Decorativa e diversas coleções particulares ilustram aspectos da actividade argentina nas artes plásticas. São mundialmente conhecidos pintores como Raúl Soldi, Antonio Nerni, Emilio Pettorutti, Héctor Basaldúa, Raquel Forner. A revista Ver y Estimar (1948), dirigida por Jorge Romero Brest, fez conhecer valores argentinos e criou em seu redor uma verdadeira escola de críticos.

A partir de 1950 começam a consagrar-se internacionalmente os pintores "concretos", como Maldonado, Fernández Muro ou Miguel Ocampo. Arden Quin foi um dos promotores da "forma livre". Assinala o crítico Damián Bayón: "Facto curioso, os traços característicos do movimento de Buenos Aires - governo do sentimento, racionalismo delibaradamente frio -... não tem nenhuma raiz latina. ... alguns artistas argentinos como Julio Le Parc ou Francisco Sobrino, fundarão grupos e terão influência ao longo de suas carreiras sobre outros artistas argentinos ou, coisa mais surpreendente, franceses.

A música clássica argentina desenvolve-se tarde e lentamente, desde fins do século XIX: Julián Aguirre, Alberto Williams, e logo Constantino Gaito, Felipe Boero. É a época das influências de Saint-Saëns, Massenet, e naturalmente os impressionistas de principio de século.

Há grande actividade nos diversos campos da música contemporânea: As obras de Roberto Caamaño, Pompeyo Camps, Roberto García Morillo, Jacob Ficher, Hilda Dianda, são executadas com frequencia dentro do país e fora dele. Alberto Ginastera tem feito conhecer suas operas Bomarzo e Don Rodrigo em alguns dos teatros mais importantes do mundo. A musicologia tem dado figuras como Jorge D'Urbano.

A chamada "escola argentina de piano" é muito estimada. Bruno Leonardo Gelber - "a excepção que não conforta nenhuma regra', segundo um crítico francês -, o estupendo talento de Martha Argerich, Manuel Rego, Silvia Kersenbaum, o provam. O conjunto Camerata Bariloche tem percorrido o mundo dando concertos. O diretor Mario Benzecry é vencedor do concurso internacional Dimitri Mitropoulos. Os cantores Carlos Cossutta, Gian Piero Mastromei, Elena Suliotis, nasceram ou formaram-se na Argentina.

Astor Piazzola tem aplicado ao tango recursos contrapontísticos e profundidade musical. Poeta e guitarrista, Atahualpa Yupanqui é um artista universal. As platéias européias e americanas já estão familiarisadas com duas cantoras de temas populares argentinos: Mercedes Sosa e Susana Rinaldi.

A actividade teatral e cinematográfica é particularmente intensa. Sao exemplo dela, a extensa filmografia de Leopoldo Torre Nilsson, e realizadores como Sergio Renan, Leonardo Favio e outros.

O teatro Colón é desde 1908 a mais contínua e a mais universal das realidades artísticas argentinas. Sua acústica é perfeita, e tem capacidade para quase 4.000 espectadores. Dedicado à ópera, ballet e concerto, já se apresentaram nele os maiores artistas mundiais de cada geração, e praticamente sem excepções. O Teatro Colón está presente na literatura, na história e em todos os aspectos da vida nacional. Tem sido desde a sua inauguração, motivo de interesse para os viajantes de outras partes do mundo. Estas palavras de apresentação da Argentina se terminam portanto com uma homenagem ao teatro que simboliza um dos maiores aspectos do país.

HACIA EL SUR
EN ALLANT VERS LE SUD
GOING   SOUTHWARDS
EM DIREÇÃO DO SUL

ZONA DE BARILOCHE
REGION DE BARILOCHE
BARILOCHE REGION
REGIÃO DA BARILOCHE

Un paisaje que podría confundirse con Suiza, es sin embargo, uno de los tantos valles sureños.
Un paysage que l'on pourrait confondre avec la Suisse, un parmi tant d'autres dans le Sud.
A landscape, like many others in the South, which might easily be mistaken for Switzerland.
Esta paisagem que se pode confundir com a Suissa, é sem dúvida, um dos tantos vales do sul.

Iglesia en San Carlos de Bariloche, provincia de Rio Negro.
Une église à San Carlos de Bariloche, province de Rio Negro.
A church at San Carlos in Bariloche, Rio Negro Province.
Igreja de San Carlos de Bariloche, província de Rio Negro.

Puerto Pañuelo, custodiado por la Gendarmeria argentina.
Puerto Pañuelo, gardé par la gendarmerie nationale.
Puerto Pañuelo, guarded by the State Police.
Porto Panhuelo, protegido pela Polícia argentina.

Río de montaña, apto para la pesca de la trucha, de fondo completamente cristalino.

Rivière de montagne, propre à la pêche de la truite, dont le fond est tout à fait cristallin.

A mountain river full of trout; the bottom can be seen through the sparkling, clear water.

Rio de Serra, bom para a pesca da truta, com um fundo perfeitamente cristalino.

SAN LUIS

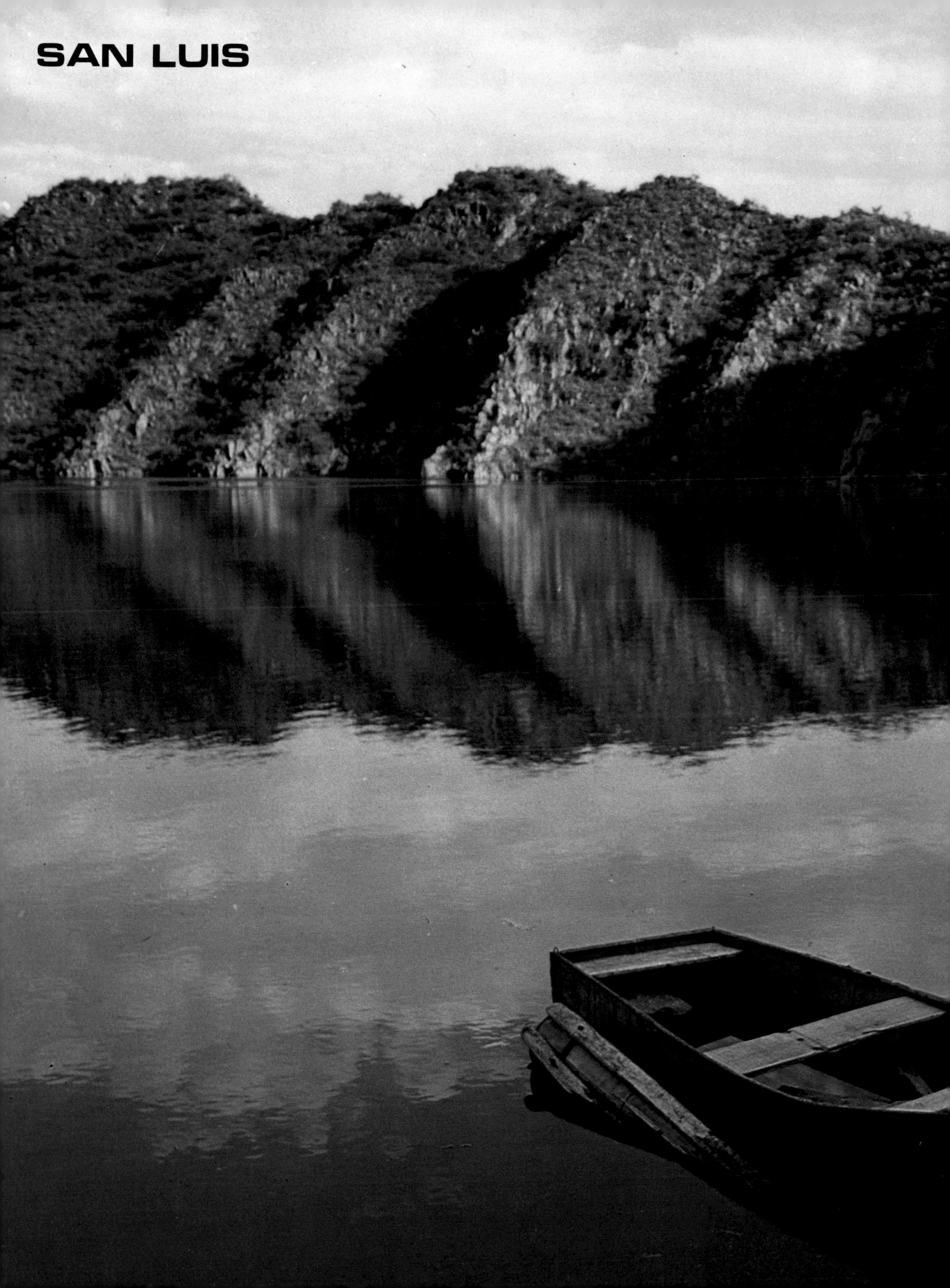

Lagos del sur, rodeados de especies coníferas, árboles de hojas perennes y maderas resinosas.
Les lacs du Sud, entourés de conifères, aux feuillages permanents et de bois résineux.
The southern lakes, surrounded by conifers with their evergreen foliage and resinous wood.
Rodeados de coníferos, árvores de folhas eternas e madeiras resinosas, Lagos do sul.

Lago Nahuel Huapi, provincia de Neuquen, centro turistico internacional.
Le Lac Nahuel Huapi, province de Neuquen, centre touristique international.
Lake Nahuel Huapi in Neuquen Province - an international tourist resort.
Lago Nahuel Huapi, província de Neuquen, centro turístico internacional.

En los valles abunda la vegetacion colorida por la feracidad de la tierra.
Dans les vallées, la végétation colorée abonde.
Colourful vegetation abounds in the valleys.
Uma vegetação colorida abunda nos vales para fertilizar a terra.

Paisaje tranquilo de montaña.
Paysage tranquille de montagne.
Peaceful mountain scenery.
Paisagem calma de Montanha.

➡

Arrayanes.

Arallanes.

Enmarcados por las imponentes montañas, los valles y lagos de la zona constituyen lugares preferidos para el descanso.

Entourés d'imposantes montagnes, les vallées et les lacs de la région sont des lieux prédestinés au repos.

Surrounded by imposing mountains, the valleys and lakes of the region are ideal places of rest.

Rodeados por serras imponentes, os lagos e vales da zona, constituem os sítios preferidos para o descanço.

La propia naturaleza caprichosa se ha encargado de tallar una figura humana sobre la montaña.
La nature dans son caprice s'est chargée de sculpter une figure humaine sur la montagne.
Nature has amused herself by carving a human figure out of the mountain.
← *A naturez caprichosa encarregou-se de escultar uma figura humana na serra.*

Exploracion y explotacion del petroleo en la costa del atlantico sur.
Recherche et exploitation du pétrole sur la côte atlantique Sud.
Oil prospecting and extraction on the southern Atlantic coast.
Exploração e pesquisa do petróleo na costa do Atlantico sul.

1

2 3

4

7

8

5

6

1 - *Manchot de Magellan*
2 - *Manchot Royal*
3 - *Gorfou Doré*
4 - *Gorfou*
5 - *Lion de mer*
6 - *Eléphant de mer*
7 - *Eléphant de mer*
8 - *Lion de mer*

Fauna típica de la zona mas austral del continente. Pajaros marinos, pinguinos y lobos conviven con otras especies que se alimentan de la gran variedad de peces que albergan las costas atlanticas. La proteccion de la fauna local es resguardada debido a la existencia de ejemplares unicos en el mundo.

Faune caractéristique de la zone australe du continent : oiseaux marins, pingouins et loups cohabitent avec d'autres espèces qui se nourrissent de la grande variété de poissons des côtes atlantiques. La protection de la faune locale est assurée en raison de l'existence d'espèces uniques au monde.

Fauna characteristic of the southern zone of the mainland: sea birds, penguins and wolves live side by side with other species, and feed on the wide variety of fish to be found off the Atlantic coast. The local fauna is protected on account of the fact that it includes certain species which are unique.

Fauna típica da zona mais austral do continente. Aves do mar, pingouins e lobos vivem junto com outras espécies que se alimentam da grande variedade de peixes existindo nas costas atlanticas.

9

12 - *Canard Vapeur de Patagonie*

13 - *Albatros*

14 - Oie du Goémon

LAGO ARGENTINO
LAC ARGENTINO
LAKE ARGENTINO

El extremo más austral del continente, la Gran Planicie Helada.
L'extrême Sud du continent : la grande plaine gelée.
The far South of the mainland - the vast frozen plain.
A região mais austral do continente, a Grande Planície Gelada.

El majestuoso Lago Argentino con enormes concentraciones de glaciares al pie de la Cordillera de los Andes, en la provincia de Santa Cruz.

Le majestueux "Lago Argentino" concentre d'énormes glaciers au pied de la Cordillère des Andes, dans la province de Santa Cruz.

The majestic "Lago Argentino" concentrates vast glaciers at the foot of the Cordillera of the Andes in Santa Cruz Province.

O majestuoso lago argentino com enormes concentrações glaciares aos pés da Cordilheira dos Andes, na província de Santa Cruz.

Las cumbres de nieves eternas encierran lagos tranquilos.
Les sommets aux neiges éternelles, veillent les lacs tranquilles.
The peaks with their eternal snows watch over the calm lakes.
Os cimos cobertos de neves eternas encerram lagos calmos.

Los techos de las viviendas, aptos para deslizar rapidamente la nieve que cae constantemente sobre el lugar.
Les toits des maisons, sont construits pour faire glisser rapidement la neige qui tombe de manière continue sur la région.
The roofs of the houses are built so as to get rid of the snow which falls unceasingly on this region.
Os telhados das vivendas são óptimos para fazer escorregar a neve que cai constantemente nesta região.

La extraña apariencia que le otorga al paisaje sureño la noche, que se prolonga por más de doce horas en invierno.

L'étrange apparence du paysage serein de la nuit, se prolonge tard en hiver.

The strange appearance of the calm, nocturnal landscape late in winter.

A aparência estranha que tem a paisagem do Sul durante a noite, prolonga-se mais de 12 horas durante o inverno.

USHUAIA

Arboles petrificados.
Arbres pétrifiés.
Fossilized trees.
Arvores petrificadas.

ISLAS MALVINAS
ILES MALOUINES
MALVINAS ISLANDS
ILHAS MALVINAS

Puerto natural en las Islas Malvinas, rodeado de aguas aptas para la pesca. Investigaciones recientes mencionan la existencia de enormes depositos de krill, un pequeño crustáceo de grandes cualidades proteicas.

Port naturel des Iles Malouines, lieu de prédilection pour la pêche. Des recherches récentes mentionnent l'existence d'énormes dépôts de Krill (petit crustacé riche en protéines).

Natural harbour of the Malvinas Islands - an ideal spot for catching fish. Recent research speaks of the existence of vast deposits of Krill (small crustaceous which are rich in protein).

Porto natural nas ilhas Malvinas, rodeadas de águas boas para a pesca. Recentes investigações mencionam a existência de enormes depósitos de "krill", pequeno crustáceo com grandes qualidades proteicas.

Las Islas Malvinas y su tipica construcción inglesa. Importante por su actividad en la producción de ganado ovino.
Les Îles Malvinas et leurs typiques constructions anglaises. Importantes pour leur production de moutons.
The Malvinas Islands and their typical English buildings. Considerable sheep production.
As Ilhas Malvinas e tipica construção inglesa. Importante pela sua actividade na produção de gado ovino.

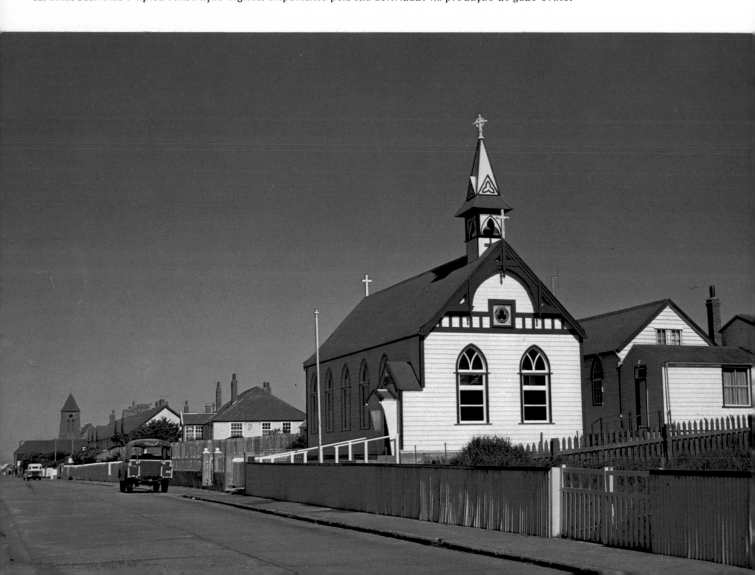

Arco hecho de hueso de ballena.
Arche fait d'os de baleine.
Arch made of whalebones.
Arco feito com ossos de baleia.

Editions DELROISSE
113, rue de Paris - 92100 BOULOGNE - France

Photos : Editions DELROISSE - Régis ARNAUD -
J.Y. BOISSON - Agence VLOO - Alicia d'AMICO -
Sara FACIO - Jorge AGUIRRE - SEEBER -
Editorial ATLANTIDA - Editorial ABRIL

Textes : V. BOUILLY
Légendes : Humberto TOLEDO

Photogravure : FOTOMECANICA Iberico - Madrid

Printed : Toppan - SINGAPORE

Dépôt légal N° 777
ISBN 2-85518-025-2